Les **8** intelligences
de votre enfant

D1365347

Catalogage avant publication de Bibliothèque et Archives Canada

Fournier, Sonia, 1964-

Les 8 intelligences de votre enfant

(Collection Parent guide)
Comprend des réf. bibliogr.

ISBN 978-2-923347-61-5

1. Intelligences multiples. 2. Apprentissage, Psychologie de l'. 3. Enfants -
Psychologie. I. Titre. II. Titre : Huit intelligences de votre enfant. III. Collection.

BF432.2.F682 2007 153.9   C2007-940233-X

Directrice éditoriale : Claire Chabot
Aide à la rédaction : Laurence Baulande
Droits et permission : Barbara Creary
Graphisme : Dominique Simard
Révision : Frédérique Pelletier-Lamoureux
Illustration de la couverture : Sonia Fournier

© Chronos Magazines inc. 2007
Les Éditions Enfants Québec sont une division de Chronos Magazines inc.

Dépôts légaux : 3ᵉ trimestre 2007
Bibliothèque et Archives nationales du Québec
Bibliothèque et Archives Canada

Éditions Enfants Québec
300, rue Arran
Saint-Lambert (Québec)
J4R 1K5
Canada

Téléphone : 514-875-9612
editions@enfantsquebec.com
www. enfantsquebec.com

Imprimé au Canada

Remerciements

Je souhaite remercier sincèrement les enfants, les adolescents et les parents qui ont collaboré à ce livre. Ils ont permis une meilleure compréhension des intelligences multiples en présentant des exemples concrets de la vie quotidienne à la maison et à l'école.

Je tiens à souligner la participation de Bernard Voyer, explorateur moderne, conférencier et auteur du livre *ANIU : Du flocon de neige à l'iceberg*. Monsieur Voyer a conquis les « trois pôles » : le pôle Nord, le pôle Sud et l'Everest. Ces nombreuses expériences en milieu scolaire auprès des enfants et des adolescents ont enrichi ma réflexion, notamment sur l'intelligence naturaliste.

Je remercie également chaleureusement mes collègues du Département des sciences de l'éducation, à l'Université du Québec à Rimouski. Madame Patricia Marchand, professeure en didactique des mathématiques au primaire et au secondaire, a contribué au chapitre concernant l'intelligence logicomathématique. Madame Pauline Côté, professeure en psychologie sociale, effectue des recherches sur l'éducation des enfants à la démocratie et aux droits fondamentaux. Madame Côté a mis en lumière l'importance des valeurs qui sous-tendent les intelligences multiples.

Toute ma reconnaissance à mon éditrice qui a cru en ce projet et à Laurence Baulande qui m'a offert son aide précieuse.

Je termine en remerciant la direction de l'Université du Québec à Rimouski pour son engagement et ses préoccupations concernant la recherche en éducation.

par une source affective. L'intelligence ne se construit pas contre l'émotion, mais avec elle. »

La façon de définir l'intelligence, d'enseigner aux enfants et de les évaluer détermine un ensemble de normes, de règles et d'approches pédagogiques qui influenceront nécessairement le développement de votre enfant. Les chercheurs admettent aujourd'hui que la réussite d'un individu, qui se traduira par sa position sociale, son salaire et sa réussite personnelle, est peu liée à son QI ; les études démontrent que moins de 20 % de cette réussite est attribuable à une bonne capacité d'abstraction et de logique. Il est d'autant plus important, dans le développement d'un enfant, de considérer les dimensions multiples de l'intelligence.

Les multiples facettes de l'intelligence

Presque 80 ans après la création des premiers tests d'intelligence, Howard Gardner, psychologue cognitiviste, conteste l'idée de réduire l'intelligence au simple quotient intellectuel. Codirecteur du *Projet Zero* de la Harvard Graduate School of Education, aux États-Unis, il publie en 1983 son livre *Frame of mind : the theory of multiple intelligences*, traduit en français en 1997 sous le titre *Les formes d'intelligence*. Il suggère l'existence d'au moins huit formes d'intelligence : linguistique, logicomathématique, spatiale, kinesthésique, musicale, interpersonnelle, intrapersonnelle et naturaliste.

Dans sa théorie des intelligences multiples, Howard Gardner cherche à élargir la portée du potentiel humain au-delà des compétences linguistiques et mathématiques reconnues par le QI. Il remet en question la validité de la méthode utilisée dans des tests qui déterminent l'intelligence d'une personne en l'isolant de son environnement naturel d'apprentissage et en lui demandant d'exécuter des tâches isolées qu'elle n'a jamais eues à faire et qu'elle ne refera probablement jamais par la suite.

Selon Howard Gardner, l'intelligence est davantage la « faculté de résoudre des problèmes ou de produire des biens qui ont de la valeur dans une ou plusieurs cultures ou collectivités ». Selon lui, l'intelligence humaine comprend trois composantes :

- Un ensemble d'habiletés qui permettent à l'individu de résoudre les problèmes réels qu'il rencontre dans sa vie ;
- L'habileté de produire quelque chose ou d'offrir un service qui a de la valeur dans sa propre culture ;
- La capacité de trouver ou d'affronter des situations qui permettent d'acquérir un nouveau savoir.

Pour déterminer chacune des huit intelligences, Howard Gardner a établi huit critères.

1. Isolement potentiel en cas de lésion cérébrale

On reconnaît l'existence d'une intelligence si elle peut être isolée à la suite d'une lésion cérébrale. Ainsi, il est possible qu'une lésion cérébrale détériore une intelligence particulière tout en laissant les autres intactes. C'est le cas de l'aphasie, qui ôte la capacité de parler, ou d'autres lésions qui entraînent la perte des caractéristiques de l'intelligence interpersonnelle, par exemple.

2. Existence d'« idiots savants », d'enfants prodiges et d'autres individus exceptionnels

Certaines personnes autistes ont une intelligence logico-mathématique très développée. D'autres sont reconnues comme des enfants prodiges en musique ou en sport, qui souvent ont montré leur talent dès l'âge de trois ans, avant même de connaître le domaine. Certaines personnes reconnues comme déficientes dessinent de façon exceptionnelle, alors que d'autres ont une mémoire musicale fascinante.

3. Opération clé ou ensemble d'opérations déterminées

Chaque intelligence exige une série d'habiletés spécifiques, en plus des habiletés qui appartiennent à d'autres formes d'intelligence. Par exemple, les composantes de l'intelligence musicale doivent comprendre la sensibilité auditive à la tonalité, la reconnaissance du rythme, mais aussi la capacité (kinesthésique) de reproduire des mouvements précis avec un instrument et la capacité (logicomathématique) de lire des partitions.

4. Développement distinct et ensemble déterminé de performances exceptionnelles

Chaque habileté associée à une intelligence se développe selon son propre cheminement; elle peut apparaître très tôt dans la petite enfance ou au cours de l'adolescence et atteindre son apogée à un autre moment ou graduellement avec l'âge. Mozart n'avait que quatre ans lorsqu'il a composé ses premières œuvres. D'autres compositeurs ont été actifs jusqu'à 90 ans. L'aptitude à la composition musicale semble donc se révéler très tôt dans la vie et demeurer jusqu'à un âge avancé. Il en va de même pour l'intelligence linguistique et spatiale : on a vu des romanciers commencer à écrire à l'âge de 50 ans, comme Henry Miller, et des peintres, comme Picasso, produire des œuvres jusqu'à la fin de leur vie.

5. Histoire et plausibilité évolutionniste

Pour chacune des intelligences, il est possible de découvrir des racines profondément ancrées dans l'évolution de l'être humain et même chez plusieurs espèces animales. La grande variété des chants d'oiseaux illustre l'utilisation des composantes musicales. Les découvertes archéologiques d'instruments de musique primitifs démontrent l'ancienneté et l'universalité de la musique à travers l'histoire et l'évolution.

6. Soutien provenant des travaux en psychologie expérimentale

En observant certaines études psychologiques, on peut constater que les intelligences fonctionnent de façon indépendante les unes des autres. Certaines personnes peuvent avoir une grande mémoire des mots, mais pas des visages. D'autres peuvent démontrer une perception aiguisée des sons musicaux, mais pas des sons verbaux. Chaque faculté cognitive est reliée à une intelligence en particulier, c'est-à-dire que les gens possèdent différents niveaux de compétence dans chaque domaine de la connaissance relatif aux huit intelligences.

7. Soutien provenant des découvertes psychométriques

Plusieurs tests psychométriques soutiennent l'existence de plusieurs formes d'intelligence. Par exemple, l'échelle d'intelligence de Wechsler pour les enfants comprend des sous-tests qui nécessitent une intelligence linguistique (information, vocabulaire), une intelligence logico-mathématique (arithmétique), une intelligence spatiale (disposition des dessins) et une intelligence kinesthésique (assemblage d'objets).

8. Possibilité d'encodage dans un système symbolique

Selon Gardner, l'un des meilleurs indicateurs du comportement humain dit intelligent est sa capacité d'utiliser des symboles. C'est ce qui distingue l'être humain des autres espèces animales. Les mots d'une langue, par exemple, ne sont pas que des sons ou des codes écrits ; ils permettent à un individu de nommer et de susciter un éventail d'associations d'images et de souvenirs.

Sa théorie est une façon plurielle de comprendre l'intelligence. Les percées récentes en science cognitive, en psychologie du développement et en neurosciences suggèrent que le niveau d'intelligence de chaque personne est constitué de facultés autonomes qui travaillent individuellement ou de concert avec les autres facultés. Ainsi, les enfants naissent avec des potentiels biologiques intellectuels bruts et variés, qu'ils développent au cours de leur vie. C'est la combinaison particulière de ces intelligences qui fait que votre enfant est singulier et différent des autres.

Howard Gardner ne croit pas qu'il y ait une seule voie pour l'implantation des idées relatives aux intelligences multiples à la maison ou à l'école. À son avis, l'essence de la théorie se situe dans le respect des nombreuses différences, dans les multiples manières d'apprendre, dans les différents modes d'évaluation et dans le nombre presque infini de façons de laisser sa marque dans le monde.

Les intelligences multiples permettent aux parents de découvrir les talents et les forces de leurs enfants. Ces formes d'intelligence portent à croire que ceux-ci peuvent augmenter leur estime de soi, mieux s'adapter à la vie scolaire et adopter des comportements plus pacifiques à la maison et à l'école. Il est possible d'envisager une conception plus humaniste de l'intelligence en respectant les différences culturelles.

Les formes d'intelligence les plus fréquemment sollicitées à l'école sont les intelligences linguistique et logicomathématique. En raison de ces préférences, plusieurs enfants éprouvent des difficultés dans leur apprentissage. La théorie des intelligences multiples remet en question les recherches et les pratiques en éducation. Il serait souhaitable que les six autres formes d'intelligence soient intégrées à l'apprentissage afin de développer le plein potentiel intellectuel des élèves.

L'intelligence naturaliste est apparue la dernière, plus précisément en 1996. Gardner n'exclut pas, d'ailleurs, la possibilité d'ajouter une autre intelligence à celles qui existent déjà. Il s'agit de l'intelligence existentielle. Cette forme d'intelligence mettrait en lumière la capacité d'un individu à réfléchir sur le sens de la vie et à développer sa spiritualité. Gardner n'a pas encore confirmé cette intelligence parce qu'il étudie encore les régions et le fonctionnement du cerveau qui la concernent.

Non seulement Gardner conçoit l'intelligence humaine comme la capacité de résoudre des problèmes variés, mais il la conçoit aussi comme celle de créer des produits qui enrichissent la culture. L'intelligence humaine se construit en fonction de dispositions naturelles cultivées. Selon Gardner, l'intelligence humaine se définit en trois temps : en premier lieu, elle implique un ensemble d'habiletés permettant de résoudre les problèmes courants de la vie ; en deuxième lieu, elle se distingue par la capacité de créer un produit efficace ou d'offrir un service valorisé par son propre groupe culturel ; en dernier lieu, elle se définit par la capacité de rechercher ou de soulever des problèmes, ce qui permet à l'individu d'acquérir de nouvelles connaissances.

Howard Gardner codirige le *Project Zero* depuis une vingtaine d'années. Ce groupe de recherches en éducation mobilise une centaine de chercheurs qui travaillent à la compréhension du développement cognitif, des processus d'apprentissage et de la créativité des enfants et des adultes. Ces recherches psychologiques à caractère pédagogique touchent autant les arts que les sciences humaines et les sciences pures. Elles sont à l'origine d'innovations dans l'enseignement, de la maternelle à l'université.

L'intelligence **linguistique** fait appel au langage pour exercer diverses fonctions de communication. L'intelligence **logicomathématique** se réfère plutôt au raisonnement, à la logique et aux mathématiques. L'intelligence **spatiale** correspond à la capacité de visualiser et créer des images et de se situer dans l'espace. L'intelligence **kinesthésique** se distingue par les sensations somatiques. L'intelligence **naturaliste** est liée à la communion avec la nature, la faune et la flore. L'intelligence **musicale** se définit par les capacités à reconnaître et créer des rythmes et des mélodies. L'intelligence **interpersonnelle** se caractérise par les relations harmonieuses avec les autres, à l'intérieur desquelles on comprend, on aide et on fait preuve d'empathie. L'intelligence **intrapersonnelle** a trait à la connaissance des autres, mais surtout à la connaissance de soi et aux valeurs morales.

Un cerveau, deux hémisphères

« L'hémisphère gauche voit les arbres, le droit voit la forêt. »

Bruno Hourst

Il existe une spécialisation entre les deux hémisphères du cerveau, le droit et le gauche. Pourtant, sur le plan anatomique, les deux hémisphères sont semblables. Chacun d'eux commande la moitié opposée du corps (par exemple, l'hémisphère droit commande le côté gauche du corps). La fonction sensorimotrice, tels que le mouvement des yeux et les sensations, a une même répartition dans les deux hémisphères. La connexion et les échanges entre les deux hémisphères sont assurés par le corps calleux, constitué de deux millions de fibres nerveuses. Mais les hémisphères ont aussi chacun des fonctions spécifiques.

L'hémisphère gauche est lié à la parole et au langage, à l'écriture, à la lecture, aux processus mathématiques, ainsi qu'à la pensée logique, séquentielle et analytique. Quant à l'hémisphère droit, il est spécialisé dans la musique, les images visuelles, les formes en trois dimensions, la reconnaissance des couleurs, la conscience globale des choses et la vision de synthèse d'un processus.

Lorsqu'on prend conscience des spécialisations de ce qu'on appelle familièrement les cerveaux gauche et droit, on peut créer un environnement riche et varié. C'est ce qui vous permettra de stimuler les deux côtés du cerveau de votre enfant. Proposez une approche globale de l'information autant qu'une approche analytique. Dans une résolution d'un problème mathématique, il est possible d'introduire une mise en perspective. Superposez un contexte réel à un problème mathématique de manière à toucher directement votre enfant. Afin de mesurer le temps que prend X pour aller à l'école, utilisez une horloge, faites imaginer à votre enfant le déroulement de son propre trajet vers l'école pour qu'il se fasse une « image mentale » du problème et trouve comment le résoudre. Favorisez les informations qui font appel aux sens, à la représentation visuelle et aux émotions pour permettre une meilleure mémorisation. Par exemple, il est plus facile pour un enfant de mémoriser l'orthographe des noms de fruits en ajoutant à l'écriture une activité de dessin ou de manipulation des fruits. Lorsqu'il utilise les couleurs et les formes (hémisphère droit) dans l'apprentissage d'une liste de mots (hémisphère gauche), il retient plus facilement les informations. Le parent ou l'enseignant qui axe ses interventions sur une approche linéaire aura moins de succès auprès de l'enfant qui a des difficultés à mémoriser, par exemple, une table de multiplication. Cela explique en partie les difficultés de certains enfants à apprendre à encoder les informations.

Voici des concepts et compétences concernés par la spécialisation des hémisphères du cerveau.

Hémisphère gauche	**Hémisphère droit**
LANGAGE VERBAL	LANGAGE NON VERBAL
ANALYTIQUE	HOLISTIQUE
ABSTRAIT	CONCRET
TEMPOREL	ATEMPOREL
RATIONNEL	MÉTAPHORIQUE
LOGIQUE	INTUITIF
LINÉAIRE	GLOBAL

Nos trois cerveaux

Les plus récentes découvertes en neurobiologie ont démontré l'existence de trois cerveaux : le cerveau reptilien, le cerveau limbique et le néocortex, qui régissent l'ensemble de nos comportements, de nos émotions et de notre pensée. Chacun de ces cerveaux est le fruit d'une étape de l'évolution des espèces animales à travers les âges.

Le cerveau reptilien

Le cerveau reptilien, qui constitue le tronc cérébral, est situé dans la couche la plus profonde du cerveau humain. Vieux de 500 à 600 millions d'années, il nous vient de l'apparition des reptiles. Le cerveau reptilien est présent dans toutes les strates évolutives des animaux. Il contrôle les conduites instinctives, entre autres les réactions de survie, la peur, le jeu, l'agressivité.

Certains instincts sont commandés par le cerveau reptilien. Par exemple, devant une voiture qui semble foncer droit sur nous, notre instinct va enclencher une réaction : soit nous nous mettrons à courir, soit nous nous figerons dans l'espoir d'éviter un accident. Même chose quand nous nous brûlons la main : la réaction de la retirer de la source de chaleur est instinctive. Le cerveau reptilien ne fait pas appel aux informations venant du néocortex, siège de la réflexion, ni du système limbique, siège des émotions, mais fonctionne de façon autonome.

Le cerveau limbique ou émotionnel

Le cerveau limbique ou émotionnel, qui est constitué des zones centrales du cerveau, nous vient de l'apparition des mammifères, il y a environ 60 millions d'années. Siège des émotions et centre de la création des souvenirs, il nous permet notamment l'établissement de liens affectifs, la vie sociale et l'apprentissage de comportements complexes. Le système limbique régule l'appétit, la soif, le sommeil, la libido, la température du corps, les équilibres chimiques tels que celui du sucre dans le sang, le rythme du cœur et les hormones. Il est à la source des émotions, du plaisir, de la douleur et de la motivation. Le rôle du système limbique est de permettre les processus de mémorisation des informations nouvelles et d'organiser les nouvelles avec les anciennes. L'apprentissage est donc directement lié aux émotions et aux besoins vitaux du corps.

Lorsqu'un enfant est en détresse ou a subi un choc émotif, il éprouve des difficultés à effectuer des tâches intellectuelles complexes et des apprentissages élaborés. Ses capacités sont réduites face à l'apprentissage. Autre exemple : votre enfant n'a pas déjeuné. Il ne peut se concentrer pour lire ou faire une autre activité qui requiert une attention dirigée ou soutenue.

Un parent ou un éducateur qui fonde ses relations avec l'enfant sur la crainte – en faisant jouer la menace de punition, le contrôle, la honte ou le mépris, par exemple – entrave biologiquement les capacités à apprendre de son enfant. Toutefois, il est intéressant de faire participer le cerveau limbique au processus d'apprentissage, en particulier par l'usage de rituels, de métamorphoses et d'activités symboliques en utilisant des archétypes issus de contes, d'histoires ou de mythes.

Le néocortex

Le néocortex, qui constitue l'écorce cérébrale et donc enveloppe notre cerveau, est la partie la plus développée. Il est formé de plusieurs couches de milliards de neurones et fonctionne de façon très sophistiquée dans le traitement des informations en provenance du monde extérieur, en nous permettant le traitement de milliers d'informations, l'acquisition de connaissances nouvelles, la prévision et la planification de nos actions.

Parmi les fonctions du néocortex, le langage a permis à l'espèce humaine la construction de liens sociaux très élaborés, la transmission des connaissances de génération en génération et le contrôle interne de la pensée et des comportements. Le néocortex est le plus complexe des trois cerveaux quant à son fonctionnement. Il contrôle les mouvements volontaires, les processus de pensée, la résolution de problèmes, la reconnaissance des formes, la parole, la production de symboles, de même que des activités complexes comme la lecture, l'écriture et l'arithmétique. Le néocortex est le lieu de l'apprentissage intellectuel.

Les mémoires

La mémoire des enfants semble sélectionner ce qu'ils ressentent fortement, tandis qu'elle rejette ce qui ne les affecte pas. Ainsi, les souvenirs les plus marquants sont la plupart du temps liés à des émotions. Le lien entre mémoire et émotions est donc déterminant dans l'apprentissage.

La mémoire à court terme

La mémoire à court terme se charge d'informations qui entrent en permanence par les sens. Elle dure au plus quelques minutes et nous permet de nous diriger dans l'espace, de poursuivre une activité et de faire de nombreuses choses de façon automatique. Une grande partie des informations captées par les sens n'est pas nécessaire et sera oubliée aussi vite. Par exemple, il est impossible de retenir tous les objets que l'on voit en entrant dans une pièce. Quelques secondes plus tard, le cerveau aura retenu seulement les quelques éléments qui permettent de se situer ou de trouver un objet.

La mémoire à long terme

La mémoire à long terme retient les informations d'une manière plus durable et est à la base de tout apprentissage intellectuel. Il est utile de savoir, autant pour les parents que pour les éducateurs, que la mémoire à long terme fonctionne à partir de quatre éléments. Premièrement, les informations doivent être présentées à répétition dans un contexte riche et varié. Celles-ci doivent aussi être apprises dans un contexte émotionnellement fort. En troisième lieu, l'enfant doit pouvoir créer des images mentales à partir de ces informations, par exemple, en imaginant l'objet dans ses formes et ses couleurs. Enfin, il est essentiel que l'enfant soit détendu et non sous le contrôle d'émotions négatives comme la colère ou la peine.

La mémoire des savoir-faire

La mémoire des savoir-faire concerne les comportements acquis comme marcher, peler une pomme ou écrire. Elle est essentiellement utilisée dans des apprentissages linéaires et précis, par exemple, dans le développement de la motricité fine et les activités manuelles.

La mémoire d'adaptation

La mémoire d'adaptation est en relation avec l'espace et ce que l'enfant réalise dans le moment présent. C'est elle, par exemple, qui lui permet de s'acclimater rapidement à une nouvelle personne ou à un nouvel apprentissage. La mémoire d'adaptation a un fonctionnement plus global que la mémoire des savoir-faire. Elle permet à l'enfant de former, d'une manière presque instantanée et inconsciente, une carte spatiale de l'endroit où il est à l'instant, c'est-à-dire de vivre et d'agir au moment présent. La mémoire d'adaptation est ouverte et flexible.

Comment aider votre enfant à mémoriser?

Les points d'ancrage nouveaux

La mise en place de nouveaux points d'ancrage consiste à faire le tour de ce que l'enfant connaît déjà sur un sujet. Par exemple, votre enfant s'intéresse aux chiens. Faites-lui raconter ce qu'il connaît déjà, puis proposez des activités riches et variées pour approfondir le sujet. Cela peut être un livre sur les races canines, une visite dans un chenil, une promenade avec un chien, un film mettant en vedette un chien, etc. Ainsi, l'enfant se familiarisera progressivement avec de nouvelles notions, et la variété du contexte lui permettra de mieux retenir les nouvelles informations. On peut également mémoriser de nouvelles informations en créant des images mentales. Par exemple, l'enfant qui parle ou écrit à propos d'un dalmatien devrait en même temps imaginer dans sa tête l'aspect du chien et le rendre vivant. Pour mémoriser des dates, il faut aussi utiliser des « trucs » qui permettent d'établir des liens entre les chiffres et des souvenirs personnels. Les trois premiers chiffres du numéro de téléphone de grand-maman sont les mêmes que ceux de ma meilleure amie, par exemple.

Le rappel

L'apprentissage exige de retenir une foule d'informations par cœur. Le rappel de ce qui a été appris, la répétition, semble le plus efficace environ 10 minutes après avoir mémorisé une série d'informations, par exemple, une liste de mots. D'une manière générale, le meilleur rythme de répétition est : 10 minutes après, dans les 48 heures et au bout d'une semaine (exprimé par : 10/48/7).

La segmentation

La segmentation consiste à diviser ce qu'il faut apprendre en groupes suffisamment petits, en fonction de la stricte capacité de votre enfant. En général, l'enfant se souvient mieux du début et de la fin d'une liste de mots, d'un spectacle ou d'un livre, d'où l'intérêt de découper le temps d'apprentissage en périodes relativement courtes.

La carte d'organisation d'idées

La carte d'idées est une manière créative, à la fois simple et astucieuse, de mettre en forme des idées et de les relier entre elles. Il s'agit d'utiliser une idée centrale, des branches principales et secondaires, des mots clés, des couleurs, des symboles et des dessins. C'est un outil très souple qui possède un grand nombre de formes et d'applications, en particulier pour apprendre, mémoriser, organiser et développer des idées.

Cette carte favorise la compréhension d'un sujet et la mémorisation des informations. Elle aide à la concentration, à l'intégration des liens entre les idées. C'est pourquoi plusieurs enseignants du primaire et du secondaire utilisent la carte d'idées dans leur classe. Elle peut servir à réaliser une fiche de lecture, à structurer les idées générales d'un livre et à planifier une activité.

Le psychologue anglais Tony Buzan, auteur de plusieurs ouvrages de psychologie populaire sur l'apprentissage, la mémoire et le cerveau, est le créateur du concept de carte heuristique *mindmapping,* aussi appelée carte mentale ou carte d'organisation d'idées. En effet, la carte d'idées allie les fonctionnements différents de l'hémisphère gauche et de l'hémisphère droit du cerveau. Elle favorise l'hémisphère gauche par la recherche de mots clés pour exprimer l'idée de chaque branche et aide ainsi à la conceptualisation des idées. Elle favorise également l'hémisphère droit en utilisant des symboles, des dessins et des couleurs et donne une structure globale des idées. Lorsque l'enfant a terminé sa carte d'organisation d'idées, il peut la comparer avec une autre carte d'idées sur le même sujet afin de l'enrichir. Il peut l'afficher quelques jours pour s'y référer. Il peut aussi la réviser mentalement dans son bain ou en attendant l'autobus. Conservez les cartes d'idées de votre enfant. Elles pourront servir de modèles ou d'aide-mémoire.

L'intelligence linguistique

De langage et d'écriture

La plupart des espèces animales utilisent un système de communication entre individus qui leur est propre, que ce soit les cris des oiseaux, les sons des dauphins, les danses des abeilles ou les jappements et grognements des ours et des loups. Ainsi, les animaux communiquent pour signaler la présence de nourriture, avertir d'un danger, éloigner les intrus ou même se faire la cour en attirant une femelle ou un mâle.

Les humains, eux, ont le langage. Au cours de leur évolution, ils ont inventé, et utilisent encore aujourd'hui, des milliers de langues ou de dialectes qui comportent des règles, des sons et des codes. Tous les peuples font appel au langage et à la transmission orale de leur culture.

Les fouilles archéologiques ont aussi mis au jour plusieurs systèmes d'écriture datant de milliers d'années : l'écriture idéographique (égyptienne, chinoise, maya, aztèque), alphabétique (phénicienne, araméenne, hébraïque, arabe, grecque, latine, cyrillique) et syllabique (éthiopienne, indienne). Depuis l'invention de l'imprimerie par Gutenberg au XVe siècle, et de l'ordinateur puis d'Internet au XXe siècle, on assiste à une explosion de la communication et de la transmission des savoirs à travers le monde.

L'intelligence linguistique est la capacité à transmettre sa pensée, ses connaissances et ses sentiments par le langage. Elle comprend quatre éléments : la lecture, l'écriture, l'écoute et l'expression orale. Cette forme d'intelligence est particulièrement valorisée dans notre société et notre système scolaire. Elle est la clé d'un apprentissage réussi. Selon Howard Gardner, l'expression la plus aboutie de cette intelligence est atteinte par le poète.

Les enfants dotés d'une forte intelligence linguistique manifestent un intérêt tout particulier pour la lecture, l'écriture et les histoires qu'on leur raconte. Ils sont souvent bavards, ont un vocabulaire évolué, qu'ils aiment enrichir de mots nouveaux. Ils sont sensibles aux sons et au rythme du langage, apprécient les jeux de mots et les histoires drôles. Ils apprennent facilement des langues étrangères. Les événements comme les salons du livre, les spectacles et les pièces de théâtre les passionnent, et la fréquentation des librairies, des bibliothèques et des musées représente pour eux un véritable attrait. Ces garçons et ces filles sont aussi friands de cinéma et aiment avoir leur propre collection de livres.

À quoi sert l'intelligence linguistique ?

C'est une intelligence fondamentale, sans laquelle l'individu peine à trouver sa place dans notre société. À l'école, elle est indispensable dans les matières littéraires, bien sûr (le français, les langues étrangères, l'histoire, etc.), où l'élève doit s'exprimer adéquatement à l'écrit et l'oral, mais aussi dans les matières scientifiques. Il est en effet difficile de résoudre un problème de mathématiques ou de physique si l'on a du mal à comprendre l'énoncé, puis à décrire clairement les étapes de la solution ! L'intelligence linguistique est évaluée spécifiquement tout au long de la scolarité de l'enfant. Elle est donc très clairement associée à la réussite scolaire. Si cette intelligence n'est pas suffisamment développée, l'enfant peut se sentir incompris, notamment par ceux qui maîtrisent mieux la langue, et il risque de faire appel à l'agressivité physique pour défendre son point de vue.

La lecture : un outil essentiel pour votre enfant

La lecture est une activité particulièrement enrichissante. Elle possède tout d'abord une dimension affective. Un enfant qui lit couramment éprouve du plaisir à lire, cela lui permet de s'évader et de se détendre. Plus que les adultes, l'enfant a tendance à s'identifier fortement aux personnages de ses livres : il vit avec intensité les émotions éprouvées par son héros. De ce fait, ses lectures peuvent aussi l'aider à comprendre certaines situations difficiles, comme un déménagement, la séparation de ses parents ou la mort d'un proche. Les personnages offrent un modèle comportemental dans une perspective de résolution de problèmes, et votre enfant pourra appliquer pour lui-même les solutions suggérées par l'auteur.

La lecture représente aussi une quête du sens : celui du monde qui nous entoure et de sa diversité. Il ne faut cependant pas se limiter aux textes informatifs qui se réfèrent à la réalité immédiate. Par l'intermédiaire des contes et des romans, par exemple, votre enfant en apprend beaucoup sur l'être humain, ses passions et ses inspirations. La troisième qualité de la lecture réside dans sa dimension sociale. Les œuvres de la littérature jeunesse ont souvent pour héros un personnage empathique, c'est-à-dire touché par le malheur des autres et se réjouissant du bonheur de son prochain. Le jeune lecteur développe alors sa propre capacité d'empathie vis-à-vis de ses amis, de ses frères et sœurs et de ses parents.

Enfin, la dimension cognitive est importante. Les recherches montrent que la lecture est habituellement associée à la pensée intuitive et solliciterait moins le raisonnement.

Toutefois, lorsque l'enfant parle de ce qu'il a lu, il développe sa pensée, plus précisément sa pensée critique, en expliquant ce qu'il n'a pas bien compris et ce qui lui a plu ou en prenant en considération les réflexions des autres lecteurs. La lecture favorise aussi l'acquisition de vocabulaire, nécessaire à l'expression des idées, ainsi que de nouvelles connaissances dans tous les domaines. À partir du troisième cycle du primaire, on considère qu'une grande partie du vocabulaire des enfants s'acquiert au moyen de la lecture.

Comment stimuler l'intelligence linguistique?

Vous pouvez favoriser le développement de l'intelligence linguistique très tôt chez l'enfant en lui lisant des histoires, en lui apprenant des comptines et des petits poèmes, en le faisant participer aux discussions familiales et en lui permettant de manipuler des livres. Il existe aujourd'hui des livres conçus spécialement pour les tout-petits : des livres en carton, des livres qui se déplient, des livres à toucher, des livres pour le bain, etc. Prenez aussi le temps de satisfaire la curiosité de votre enfant quand il vous interroge sur le sens d'une expression ou quand il vous demande ce qui est écrit sur sa boîte de céréales.

Dès que l'enfant commence à lire, encouragez la lecture personnelle, c'est-à-dire la lecture pour le plaisir, qui se distingue de celle qu'impose l'école. Les intérêts des enfants varient selon leur sexe, leur personnalité, leur histoire personnelle, mais aussi leur âge. Généralement, les enfants de 6 à 7 ans préfèrent les histoires avec des intrigues simples et fantaisistes. Ils aiment être surpris. Les histoires qui comportent une fin heureuse les attirent de façon marquée. Le héros doit nécessairement gagner. Les jeunes de 8 et 9 ans choisissent, eux, des histoires réalistes. Ils s'identifient au personnage principal et sont capables de comprendre des intrigues plus complexes. Les préadolescents de 9 ans à 12 ans semblent former un groupe à part. Ils sont attirés par les romans d'aventures, d'horreur et d'épouvante. Les récits d'aventures évoquent le passage à l'autonomie, à laquelle ils aspirent à cet âge-là. Ils sont également séduits par des histoires qui relatent, dans un langage simple, des problèmes qui les touchent.

Les adolescents de 15 à 18 ans préfèrent les livres qui mettent en scène des personnages réalistes, souvent plus âgés qu'eux, confrontés à des difficultés d'adultes. Ils s'intéressent aux grands problèmes de société, comme le racisme, les ghettos et la guerre.

Proposez à votre enfant des livres appartenant à différents genres littéraires (BD, documentaire, science-fiction, poésie, policier, etc.) même si vous, personnellement, ne les appréciez pas. Votre enfant n'est pas obligé d'avoir les mêmes goûts que vous ! L'important est qu'il lise régulièrement afin d'augmenter ses habiletés de lecteur. Laissez-le lire, par exemple, des revues, des catalogues ou des livres de cuisine si c'est ce qui l'intéresse. Améliorez son accès aux livres en invitant les proches à lui en offrir pour son anniversaire et à Noël et en l'inscrivant à la bibliothèque municipale. Vous pouvez aussi organiser des échanges de livres entre familles, une sorte de « bibliothèque tournante ».

Continuez à faire la lecture à votre enfant même quand il sait lire. C'est une approche fort enrichissante pour lui, car alors, il ne se retrouve pas tout seul devant son livre, mais il partage son expérience avec un adulte qu'il aime. Cela peut aussi aider l'enfant en difficulté ou peu motivé à découvrir le plaisir de la lecture. Pour rendre cette séance de lecture attrayante, choisissez un livre qui correspond aux goûts de votre enfant. Présentez-le-lui avant de commencer la lecture. Manipulez-le afin de lui montrer les illustrations, s'il y en a. Essayez de créer une atmosphère (très peu de lumière, par exemple, pour une histoire de fantômes ou de sorcières) et d'utiliser, si le sujet s'y prête, quelques accessoires. Bref, organisez une petite mise en scène.

Discutez avec votre enfant de ce qu'il a lu. L'enfant, comme l'adulte, appréhende un texte de deux manières différentes. La première est appelée « efférente » et la seconde, « esthétique ». Dans la lecture efférente, le jeune saisit l'information contenue dans le texte. La lecture esthétique, quant à elle, est axée sur les émotions et les sentiments suscités par le texte. Les recherches révèlent que les réponses spontanées des enfants ou des adolescents, lorsqu'ils sont libres de toute contrainte, sont surtout d'ordre esthétique. Un enfant ou un adolescent peut juger de la qualité d'un texte, même si cette appréciation est un processus qui se développe avec l'expérience et la maturité.

Accompagner son enfant dans l'apprentissage de la lecture et de l'écriture

L'apprentissage de la lecture et de l'écriture, qui se fait de concert dans les premières années du primaire, représente une étape cruciale pour l'enfant. C'est l'enseignant, bien sûr, qui prend en charge cet apprentissage, mais les parents ont aussi un rôle très important à jouer. Ils doivent motiver le lecteur débutant et le soutenir. Ils peuvent également, de manière plus active, appliquer à la maison quelques-unes des grandes stratégies généralement utilisées en classe.

Identifier les mots

L'identification des mots est la première étape à franchir afin d'apprendre à lire. Cette reconnaissance se fait à partir de différents indices. Les indices visuels concernent les mots que l'enfant reconnaît globalement sans les déchiffrer ; il comprend ainsi les mots fréquents et ceux qu'il rencontre souvent, comme son prénom. Les indices phonologiques, quant à eux, amènent l'enfant à trouver le mot par la correspondance graphème-phonème, c'est-à-dire par la division en syllabes. Les indices sémantiques sont liés au sens général de la phrase, qui aide à comprendre un mot en particulier. Ce sens peut aussi être explicité par une illustration. Les indices syntaxiques sont ceux que fournit la structure de la phrase. Finalement, les indices morphologiques sont des repères associés au genre et au nombre, aux terminaisons des verbes, aux mots de même famille, aux racines des mots, aux suffixes ou aux préfixes.

L'enfant construit ainsi peu à peu son vocabulaire visuel. Il doit apprendre à reconnaître rapidement les mots fréquents, comme « est », « nous », « dans » ou « avec », qui représentent environ 50 % des mots d'un texte, pour concentrer son attention sur les nouveaux mots, plus difficiles. Il existe plusieurs manières de se constituer un vocabulaire visuel.

Le dictionnaire mural est utilisé dans les classes du premier cycle au primaire. Il consiste en l'affichage des mots du vocabulaire global. Tous les jours, idéalement, l'enseignant y ajoute un mot choisi dans un livre, une méthode de lecture ou toute autre production écrite. Habituellement, les mots sont placés par ordre alphabétique. L'enseignant sélectionne le mot, l'écrit, analyse son orthographe, puis le classe par catégorie ou par contenu.

La banque individualisée consiste en un choix de mots personnels qui ont une valeur affective pour l'enfant. Celui-ci est amené à identifier les mots qu'il connaît, inscrits sur des cartons, et à les placer dans un sac ou une boîte. À partir de cette banque de mots, il est possible d'effectuer du repérage ou du classement. Il faut veiller à utiliser ces mots dans des phrases, à l'écrit et à l'oral, et ne pas se contenter de les répéter isolément, ce qui est beaucoup moins efficace. La banque individualisée aide aussi l'enfant à risque ou en difficulté à s'approprier les mots, car les mots retenus sont faciles à employer et sont chargés émotionnellement.

Des jeux amusants avec les mots fréquents se pratiquent facilement en famille. Par exemple, vous pouvez créer des jeux de bingo ou de dominos avec les mots globaux. Il existe aussi un grand nombre de jeux sur le marché. Deux spécialistes, Bruno Hourst et Sivasailam Thiagarajan, ont pour leur part développé des jeux-cadres pour accompagner les enfants dans leurs apprentissages, notamment en français. Un jeu-cadre est une structure de jeu vide de contenu que l'on remplit en fonction de ses besoins. C'est un jeu de qualité à faible coût et adaptable sur mesure à chaque enfant.

Vous pouvez également proposer à votre enfant de lire ou de relire des livres faciles, écrits spécifiquement pour les lecteurs débutants. Dans ces livres, le texte doit être soutenu par l'illustration, il doit être rythmé ou contenir des rimes, et l'histoire doit présenter des structures répétitives, c'est-à-dire être organisée, par exemple, sous forme de questions-réponses. Ces séances de tutorat doivent se dérouler dans un climat agréable et ne pas excéder 15 minutes.

L'écriture : un moyen d'expression et de transmission

Comme les connaissances en lecture et écriture s'acquièrent simultanément, il faut encourager votre enfant à écrire le plus tôt possible. Faites-lui découvrir la conversation écrite. Posez-lui une question par écrit, par exemple : « Comment s'est passé ton entraînement de soccer? », et il devra vous répondre par le même moyen. Continuez ainsi, en posant d'autres questions, en vous concentrant sur le contenu du message et sans faire de commentaires sur l'orthographe ni la corriger.

Vous pouvez aussi aider l'enfant à tenir un journal de lecture qui fera le pont entre la lecture et l'écriture. Après une lecture personnelle, il pourra la commenter en écrivant ses impressions, réactions, sentiments et pensées dans ce journal. Posez-lui quelques questions ou suggérez-lui des débuts de phrases pour le guider. Là encore, essayez de faire durer un peu l'échange.

Liste d'activités pour stimuler l'intelligence linguistique

- Fabriquer un abécédaire.
- Jouer à des jeux de société basés sur les mots : scrabble, mots croisés, jeu du pendu...
- Apprendre des comptines et des poèmes.
- Raconter des histoires à ses amis et à ses parents.
- Jouer à découvrir des mots nouveaux et bizarres dans un dictionnaire.
- Tenir un journal.
- Avoir des conversations écrites avec ses amis.
- Fabriquer un dictionnaire mural.
- Se faire une banque de mots personnels.
- Aller à la bibliothèque et aux salons du livre.
- Écouter des audiocassettes.
- Lire et relire ses livres préférés.
- Avoir son coin de lecture à soi.

Aidez votre enfant dans ses apprentissages

Un enfant doté d'une intelligence linguistique bien développée devrait se sentir à l'aise dans notre système scolaire qui, traditionnellement, privilégie beaucoup ce type d'intelligence. Vous pouvez cependant l'aider en lui donnant quelques conseils :

- Lire le matériel (pages du manuel, cours précédent, etc.) avant d'aller en classe.
- Prendre beaucoup de notes pendant les cours.
- Expliquer aux autres ce qu'il a appris.
- Écrire de petites histoires sur les sujets étudiés.
- Lire à voix haute ses leçons.

■ Écrire des poèmes en utilisant des termes mathématiques et des expressions scientifiques pour mieux les retenir.

■ Mettre par écrit les étapes d'une expérience.

Métiers et professions

Poète, écrivain, compositeur, rédacteur, journaliste, relationniste, scripteur, scénariste, libraire, éditeur, enseignant, avocat, historien, animateur, bibliothécaire, conférencier.

L'intelligence logicomathématique

De chiffres et de formules

Toutes les cultures utilisent des systèmes de numération fondés sur les nombres. Les civilisations anciennes, arabe, perse, maya, par exemple, ont mesuré le temps et inventé des calendriers solaires ou lunaires. À travers les âges, on a utilisé des monnaies pour le commerce et développé des théorèmes qui ont permis de créer des machines et des constructions de plus en plus complexes. Pas de cathédrales sans logique mathématique ! Le zéro, utilisé à la fois comme nombre et comme chiffre, vient principalement des Arabes, et c'est beaucoup plus tard qu'il a été introduit en Occident. L'intelligence logicomathématique est très créative. Depuis la révolution industrielle et le développement scientifique, les mathématiques s'appliquent à tous les domaines de la vie sociale et économique.

L'intelligence logicomathématique est l'aptitude à calculer, ordonner et catégoriser les choses, à établir des liens logiques entre les objets et à résoudre des problèmes complexes. C'est la forme d'intelligence qui est la plus « mesurée » dans les tests dits de QI.

L'enfant dont l'intelligence logicomathématique est bien développée agit avec méthode : il sait respecter un budget ou un horaire et utiliser un calendrier, un agenda, une calculatrice ou un ordinateur. Il a de la facilité à classer des objets par catégories. À l'école, il aime les mathématiques. À la maison, il compte et recompte les billes, les images et les autres objets qu'il affectionne. Il aime résoudre des énigmes, comprendre les relations entre les choses et il s'interroge sur « ce qui va se passer ensuite ». Il veut toujours connaître le pourquoi et le comment des choses : comment fonctionne une voiture ? Où va le soleil la nuit ? Pourquoi y a-t-il 60 minutes dans une heure ? Etc.

À quoi sert l'intelligence logicomathématique ?

Cette forme d'intelligence permet à votre enfant de s'adapter à son environnement. Sans elle, il aurait de la difficulté à comprendre comment fonctionne le monde qui l'entoure, à saisir les relations entre différents phénomènes (naturels ou autres), à raisonner de façon logique et à gérer des tâches complexes. Bref, si elle est indispensable pour résoudre des problèmes mathématiques, elle est tout aussi indispensable dans la vie quotidienne !

De plus, étant donné l'importance accordée aux mathématiques dans notre système scolaire, une bonne intelligence logicomathématique favorise l'épanouissement de votre enfant, qui devient alors plus autonome, s'affirme et consolide son estime de soi. Des résultats satisfaisants en mathématiques lui offrent également la chance d'accéder à des programmes enrichis ou jumelés tels que sport-études ou musique-études. Il est clair que la maîtrise des mathématiques constitue un atout majeur pour l'insertion de l'individu dans une société où les applications pratiques de cette science sont aussi nombreuses que diversifiées.

Comment stimuler l'intelligence logicomathématique?

Cette forme d'intelligence s'acquiert grâce à la manipulation d'objets et au développement du langage. Dès les premières années, les jeux qui permettent de classer, d'assembler et de mémoriser des objets, de raisonner et de réfléchir de façon logique favorisent le développement de cette intelligence: jeux d'emboîtement et de construction, casse-têtes, dominos et jouets d'éveil. L'apprentissage de l'addition et de la soustraction peut se faire tout simplement en manipulant des sous, des boutons, des cartes à jouer ou encore des pâtes alimentaires. Vous pouvez aussi demander à votre enfant de compter les boîtes de conserve, de ranger les souliers par paires, de repérer les chiffres sur l'horloge et d'évaluer le temps nécessaire pour se rendre à l'école. Au quotidien, vous pouvez, tout en vous amusant, lui faire pratiquer le calcul mental, lors de longs trajets en voiture, par exemple. Vous pouvez aussi partir de situations familiales pour lui montrer que les mathématiques sont omniprésentes dans la vie de tous les jours. Pour préparer une fête, par exemple, on fait appel au raisonnement, à l'arithmétique, à la mesure et à la géométrie, car il faut planifier, compter, organiser l'horaire et l'espace... Les jeux de société et les jeux de cartes sont particulièrement propices aux échanges mathématiques. Quelle est la valeur de mes cartes? Quand on lance le dé, quelle est la probabilité d'avoir un six? Combien de coups sont encore nécessaires pour gagner? S'il a joué ainsi, c'est qu'il ne possède aucun trèfle, et je vais pouvoir l'attaquer là-dessus, etc. Les jeux d'échecs et de dames, quant à eux, permettent encore plus spécifiquement de travailler les notions de logique et de probabilité. Pensez aussi à emmener votre enfant dans des musées à vocation scientifique, comme ceux qui se consacrent à l'aviation, aux sciences et aux technologies. Ces visites lui feront prendre conscience que les mathématiques sont utilisées ailleurs qu'à l'école.

Dans une perspective plus scolaire, vous pouvez prévenir les difficultés de votre enfant en mathématiques en prêtant une attention particulière aux cinq concepts suivants: la classification, la sériation, la correspondance terme à terme, la conservation et le sens du nombre. La *classification* consiste à regrouper des éléments semblables, par exemple, donnez à votre enfant un sac contenant des objets de différentes tailles, couleurs et formes et demandez-lui de rassembler tous les objets rouges ou bien tous les objets en forme d'étoile. La *sériation* consiste à ordonner des objets en fonction d'une caractéristique comme la longueur ou le poids (du moins long au plus long, du moins lourd au plus lourd, ou l'inverse). La *correspondance terme à terme* revient à associer « un avec un », par exemple, lors d'une activité en groupe, demandez à votre enfant s'il y a suffisamment de ciseaux pour tous les amis, ou encore si chacun aura une feuille. Proposez-lui plusieurs exercices de ce genre. La *conservation* est la notion de l'invariance du nombre: par exemple, l'enfant place 10 billes dans un verre et verse dans un cylindre le même nombre de billes; si on le questionne et qu'il répond alors qu'il y a davantage de billes dans le cylindre, c'est qu'il n'a pas acquis le concept de conservation. Enfin, pour le familiariser avec le *sens du nombre*, encouragez-le à manipuler de l'argent, des objets de la vie quotidienne (livres, nourriture, chaussures) et les touches numériques du téléphone et de la calculatrice.

L'enseignement des mathématiques à l'école primaire

Les méthodes et les savoirs enseignés à l'école primaire ont bien changé depuis votre propre enfance. Comme parent, il est important de vous tenir au courant. Plus vous en saurez sur ce qu'on demande à votre enfant, plus vous pourrez l'aider. Alors, soyez curieux et n'hésitez pas à poser des questions à son enseignant. Traditionnellement, l'apprentissage des mathématiques était axé sur la bonne réponse, les procédures et la mémorisation. Aujourd'hui, l'on part plutôt de situations mathématiques concrètes vécues quotidiennement par l'élève. L'objectif est de lui permettre de s'engager activement dans la résolution de problèmes en respectant la démarche mathématique, dans le cadre d'un apprentissage coopératif. Cinq grands domaines mathématiques sont étudiés à l'école primaire : l'arithmétique (les nombres naturels, décimaux, entiers, les fractions, le calcul mental) ; la mesure (de longueur, de surface, d'angle, de température) ; la géométrie (les figures géométriques et la capacité à se situer dans l'espace) ; la statistique (enquêtes et travail sur les données récoltées) ; la probabilité (expérimentation d'activités liées au hasard, prédiction de résultats qui sont jugés certains, possibles ou impossibles).

Dès la maternelle, votre enfant est initié aux mathématiques. On lui demande de compléter des suites logiques. À l'aide de différents jeux, l'enseignant lui fait saisir les notions d'addition, de soustraction, de terme manquant, de retrait, etc. Par exemple : « Il y a trois poissons qui vivent dans un aquarium ; soudainement, deux poissons meurent ; combien en reste-t-il ? ». L'enseignant vérifie la démarche de l'enfant. A-t-il écouté l'énoncé attentivement ? A-t-il réalisé toutes les étapes ? A-t-il émis un raisonnement mathématique ? Dès le préscolaire sont utilisés des modes de représentation tels que des objets, des dessins, des tableaux, des diagrammes, des symboles et des mots. Par exemple, l'enseignant demandera à l'enfant de reconnaître plusieurs objets semblables à partir d'images et de créer des ensembles.

Au primaire, votre enfant apprend à résoudre des problèmes mathématiques de plus en plus complexes. Les différents concepts mathématiques s'acquièrent de façon progressive. En ce sens, la compréhension de la multiplication est fondamentale. Prenons le nombre 42. Celui-ci est composé de 4 dizaines et de 2 unités, soit de 4 x (1 dizaine) + 2 x (1 unité). Les positions respectives occupées par le 4 et le 2 sous-entendent des valeurs multiplicatives. À vous, cette opération paraît simple. Par contre, comment votre enfant de six ou sept ans peut-il vraiment comprendre le sens du nombre 42 si la notion de multiplication lui échappe? Pour lui, il n'y a aucun lien entre les unités et les dizaines, lorsque les unités sont groupées et exprimées par dizaines. Il sera incapable, par exemple, de soustraire 18 de 42, puisqu'il ne sait pas comment soustraire 8 de 2. Afin de savoir si votre enfant a acquis le concept de multiplication, donnez-lui une trentaine de jetons en lui demandant de les compter. S'il organise la quantité à dénombrer en faisant des paquets égaux, c'est qu'il a compris le principe de la multiplication. Sinon, il utilisera l'addition et comptera les jetons un à un. La maîtrise de la multiplication montre que l'enfant est capable d'envisager un même objet sous deux aspects différents. C'est d'ailleurs à ce moment-là qu'il accède au stade opératoire concret.

Accompagner son enfant dans l'apprentissage des mathématiques

Durant leurs études primaires, les enfants font des progrès remarquables en mathématiques. Beaucoup réalisent avec plaisir les exercices demandés, en classe et à la maison. D'autres, au contraire, éprouvent rapidement des difficultés. Soyez attentifs, surveillez les devoirs de votre enfant, ses évaluations et son bulletin scolaire. Au moindre obstacle, intervenez en collaboration avec l'enseignant. Mais, pour agir efficacement, il faut avant tout comprendre l'origine des difficultés rencontrées.

Il est possible que votre enfant ait des problèmes de perception visuelle. Dans ce cas, il aura du mal à s'orienter (par rapport au haut et au bas) sur sa feuille ou à lire des nombres à plusieurs chiffres; ou bien il aura tendance à confondre des chiffres comme 2 et 5, 6 et 9, de même que les signes des opérations; il pourra peiner à aligner les chiffres ou à les mettre en colonne dans une opération, par exemple; il aura aussi tendance à inverser des nombres comme 13 et 31 ou 17 et 71. Sa perception auditive peut également être en cause s'il a du mal à pratiquer le calcul mental, à résoudre les problèmes donnés oralement, à compter selon une séquence et à écrire les chiffres qu'on lui dicte. Ses difficultés en mathématiques peuvent aussi s'expliquer par des problèmes d'attention, de mémoire à court et à moyen terme, ou encore par une mauvaise maîtrise de la langue, de la lecture, du raisonnement abstrait et des stratégies cognitives et métacognitives comme la reconnaissance des similarités entre les problèmes mathématiques. Enfin, les enseignants soulignent que les enfants ont souvent du mal à aborder correctement la résolution de problèmes, activité essentielle des mathématiques.

La résolution d'un problème mathématique se fait en trois étapes. D'abord, l'enfant lit l'énoncé pour se l'approprier et sélectionner l'information qu'il juge pertinente. Dans un deuxième temps, il modélise le problème par la simulation à l'aide d'objets ou de dessins et en se référant à d'autres problèmes résolus avec succès antérieurement. Enfin, il applique plusieurs stratégies pour élaborer une solution par anticipation. L'enfant construit alors sa représentation du problème et anticipe sa démarche à partir des premiers mots vus lors de la lecture de l'énoncé. Par exemple, il se concentre sur des mots clés, comme « en tout », « reste », « de plus », « de moins », etc. Il cherche aussi à faire le lien avec ses expériences scolaires et sociales passées. Ce faisant, les enfants en difficulté ont tendance à élaborer des règles qui engendrent des blocages dans la résolution même des problèmes. Ainsi, ils sont convaincus qu'il y a toujours une et une seule solution, et/ou qu'il est néces-saire d'utiliser toutes les données de l'énoncé, et/ou qu'ils doivent utiliser les dernières notions apprises en classe. De telles règles s'installant rapidement, il est important de montrer à votre enfant qu'elles sont fausses. Présentez-lui des problèmes ouverts ou des problèmes qui ont plusieurs solutions. Faites-lui prendre conscience que certains mots clés peuvent l'induire en erreur. Par exemple, dans l'énoncé suivant : « Maria a 7 billes. Elle a 3 billes de plus que Jean. Combien Jean a-t-il de billes ? », l'expression « de plus » amènera votre enfant à effectuer une addition, alors qu'il est nécessaire au contraire de soustraire. Prenez le temps de discuter avec lui de sa solution, de la confronter avec la vôtre ou avec celle d'un autre membre de la famille. Il apprendra ainsi à élaborer une solution dans un langage mathématique, à la vérifier et au besoin à la rectifier.

Liste d'activités pour stimuler l'intelligence mathématique

- Compter et classer les objets de la vie quotidienne.
- Jouer à des jeux de société.
- Jouer à des jeux de cartes.
- Jouer avec des casse-têtes, des dominos et des jeux de construction.
- Jouer aux dames et aux échecs.
- Jouer à des jeux de logique : trouver des suites, rassembler des éléments semblables, trouver l'élément manquant, etc.
- Faire des expériences scientifiques.
- S'abonner à une revue scientifique.
- Visiter les musées des sciences et des technologies.
- Résoudre des mystères et des énigmes.
- Organiser des événements.
- Établir le calendrier des activités de la famille pour la semaine.
- Faire la cuisine.

Aidez votre enfant dans ses apprentissages

Un enfant doté d'une bonne intelligence logicomathématique est avant tout quelqu'un de logique, qui aime comprendre les relations entre les différents objets et phénomènes. Voici quelques conseils pour aider votre enfant à mieux apprendre.

■ Aidez-le à structurer et à organiser l'information pour mieux la mémoriser, dans un tableau, par exemple.

■ Insistez sur les applications concrètes de chaque apprentissage. Par exemple, montrez-lui que les mesures sont utiles pour construire une maison.

■ Demandez-lui de vous expliquer, logiquement, étape par étape, ce qu'il a appris, qu'il s'agisse du moteur à explosion ou des causes de la Seconde Guerre mondiale.

■ Mettez à sa disposition les outils mathématiques adéquats : ordinateur, calculatrice, tableur, balance, etc.

■ Utilisez les chiffres pour l'orienter vers des sujets plus littéraires : faites-lui chercher le nombre de colons français et anglais en Nouvelle-France ou le nombre d'adjectifs de couleurs dans un texte ; parlez-lui de statistiques dans divers domaines, etc.

■ En rédaction, proposez-lui d'imaginer la suite logique d'une histoire.

Métiers et professions

Mathématicien, informaticien, ingénieur, astronome, technicien, chercheur, comptable, caissier, fiscaliste, juriste, enquêteur, philosophe.

L'intelligence spatiale

De formes et de couleurs

La découverte des grottes de Lascaux ou des autres sites où l'on a trouvé des peintures rupestres a démontré que le talent artistique était déjà très présent chez les hommes préhistoriques du paléolithique. Ils savaient reproduire et interpréter leur environnement, produire des formes et des scènes qui illustraient leur mode de vie. Mais l'intelligence spatiale a également une autre caractéristique, tout aussi ancienne : la capacité de se repérer dans l'espace. Depuis des milliers d'années, les nomades traversent les déserts en observant les formes des dunes et le ciel étoilé, par exemple. De tout temps, les hommes ont dû développer cette intelligence pour se déplacer dans leur environnement autant que pour s'y établir en construisant des maisons et des villages.

Howard Gardner définit l'intelligence spatiale comme la capacité à agir dans un univers spatial en s'en construisant une représentation mentale. Cette intelligence commence à se développer dès la naissance. À mesure que leur vision se développe, les bébés sont naturellement attirés par les formes et les couleurs. À travers leurs expériences, les enfants découvrent ensuite, à leur rythme, les dimensions spatiales de leur environnement. L'intelligence spatiale est complexe. Elle s'épanouit essentiellement à travers les arts visuels, qui font appel à cette maîtrise de l'espace.

Les enfants chez qui l'intelligence spatiale prédomine aiment dessiner, peindre, bâtir des maisons avec des cubes ou tracer des plans compliqués sur du papier. Ils ont un goût particulier pour les voyages et sont très sensibles aux différents paysages. Ces enfants ont d'ailleurs un bon sens de l'orientation et lisent facilement les cartes géographiques. Enfin, ils accordent de l'importance aux vêtements et à leur agencement, ainsi qu'aux couleurs en général.

À quoi sert l'intelligence spatiale?

L'intelligence spatiale est essentielle puisqu'elle sert à se situer, à agir dans l'espace environnant ainsi qu'à se le représenter. Bien sûr, chacun possède cette intelligence dans son bagage de départ, mais quand elle est peu développée, on a de la difficulté à se repérer dans une nouvelle ville, à se faire une représentation précise de sa propre maison, à concevoir un plan d'aménagement pour son salon, par exemple. On a donc tout intérêt à développer cette intelligence très jeune.

En favorisant le développement de l'intelligence spatiale de votre enfant, vous l'aiderez à devenir autonome. Il sera capable, assez jeune, d'effectuer seul des trajets simples (pour aller à l'école, à la piscine, chez ses amis) et d'organiser son espace personnel (ranger sa chambre, classer ses affaires d'école).

L'impact de l'art sur les comportements

C'est sans doute dans sa dimension artistique que l'intelligence spatiale est la plus intéressante. L'art est un formidable moyen d'expression. La psychanalyse et la thérapie par l'art, notamment, ont montré que celui-ci pouvait être utilisé pour soigner les personnes souffrant de névroses ou de dépression. Mais, plus largement, il peut aider considérablement les enfants qui ont des problèmes de comportement, une faible estime de soi et un manque de confiance en eux-mêmes. Ainsi, des études réalisées aux États-Unis ont révélé que les jeunes qui participent à des activités artistiques — en milieu scolaire ou ailleurs — ont un concept de soi plus élevé que ceux qui n'en pratiquent pas. Chaque réalisation artistique est effectivement vécue comme une petite réussite, qui aide l'enfant à cultiver son estime de soi et à améliorer ses relations sociales. Par exemple, l'élève qui éprouve des difficultés en français ou en mathématiques devrait participer à la conception des décors ou des affiches pour les événements (spectacles, semaine culturelle, etc.) organisés par son école. Cette participation active aura pour effet de diminuer son sentiment d'échec et le motivera, en plus d'augmenter sa capacité d'attention et de concentration.

C'est là une autre grande qualité de la pratique artistique : par son contact avec la matière, elle aide l'enfant à se concentrer et entraîne une baisse des comportements impulsifs et agressifs. Les enfants qui ont un déficit d'attention ou qui sont hyperactifs peuvent en bénéficier grandement.

Faciliter la communication

La pratique d'un art favorise également les relations interpersonnelles. Un enfant est toujours heureux, même s'il est d'un naturel timide, de parler de son dessin dès que quelqu'un, ami ou adulte, manifeste son intérêt. La réalisation artistique devient ainsi un outil de communication, d'autant plus précieux que l'enfant aborde souvent dans ses œuvres des sujets importants ou douloureux pour lui. Le dessin ou la peinture lui permettent de se libérer de ses angoisses, de ses peines et de son stress.

L'enfant s'exprime d'abord à l'intention de son père ou de sa mère. Il est donc primordial que, comme parent, vous vous intéressiez à ses œuvres. Il risquerait sinon de se sentir rejeté. Affichez ses dessins pour qu'il voie comme vous êtes fier de lui. Proposez-lui d'en faire un portfolio, ce qui lui permettra de prendre conscience de façon concrète des efforts réalisés et de la progression de son travail. Votre enfant continuera alors à vous parler avec enthousiasme de sa production artistique et de ses projets.

En stimulant cette forme d'intelligence chez votre enfant, vous lui donnerez des moyens d'obtenir des réussites scolaires et sociales. Vous favoriserez son développement global; vous l'aiderez à s'ouvrir sur le monde. L'importance de l'intelligence spatiale est d'ailleurs largement reconnue par le système scolaire, qui a introduit l'enseignement des arts plastiques dès la maternelle et dans tous les cycles du primaire.

Les différentes étapes de l'évolution graphique

Afin de mieux comprendre ce qu'est l'intelligence spatiale, il est nécessaire de connaître l'évolution graphique de l'enfant. On y distingue habituellement six stades.

Le gribouillage : de 18 mois à 4 ans

Le bébé commence à gribouiller à l'âge de 18 mois environ. Il aime laisser sa trace sur tous les supports disponibles : papier, mur, plancher ou canapé... À deux ans, il se met à dessiner plus activement, traçant des lignes et des courbes à l'aide de grands allers-retours avec son crayon. La première forme qu'il exécute est le cercle. Ce même cercle devient ensuite, vers trois ans, une tête et un corps qu'on appelle « bonhomme têtard ». Avec le temps, l'enfant y ajoute d'autres éléments : des cheveux, des points pour les yeux et le nez et une ligne illustrant la bouche. L'enfant retient les couleurs qui suscitent une émotion chez lui, comme la couleur préférée de papa. On remarque aussi que, pendant qu'il dessine, il se raconte des histoires. De la sorte, il crée des liens entre sa pensée et son dessin. L'enfant, à ce stade, dessine en utilisant le point, le trait, le remplissage, la ligne courbe, la ligne droite, la forme fermée et les figures géométriques. L'occupation de l'espace offert par la feuille est encore chaotique.

Le préschématisme : de 4 à 6 ans

Les dessins d'un enfant évoluent en fonction de ses champs d'intérêt. Il commence à représenter certains éléments de son milieu scolaire et de son environnement familial et y ajoute des choses nouvelles d'une fois à l'autre. Il dessine les membres de sa famille et les animaux qu'il aime. Ses personnages se font plus détaillés. Ils se caractérisent par une tête, un vrai corps, avec des bras et des jambes, et des vêtements. L'enfant aime également dessiner les objets qu'il affectionne, son jouet préféré ou son chien. À ce stade, l'utilisation de la couleur est plus réfléchie, mais elle reste guidée par les émotions et non par le réel. L'enfant juxtapose les formes, bien que celles-ci empiètent les unes sur les autres. On assiste à la première exploration des schémas : les formes géométriques sont choisies selon la destination, par exemple, le cercle pour la tête.

Le schématisme : de 7 à 9 ans

L'enfant prend conscience de l'espace de la feuille et de ses limites. Il superpose les personnages aux éléments. Les différentes parties de ses personnages résident en des formes géométriques, en général le carré, le rectangle, le cercle et le triangle. À ce stade, l'enfant vit un moment d'explosion par rapport aux stratégies de représentation de l'espace. La ligne de base, sur laquelle sont posés les éléments du dessin, s'affirme et se multiplie. Si l'enfant manque de place, il n'hésitera pas à tracer une nouvelle ligne au milieu de la page pour continuer son histoire. C'est ce qu'on appelle *l'étagement*. Les angles de vue aussi se diversifient : l'enfant dessine des éléments vus d'en haut ou en transparence (l'intérieur d'une maison, par exemple). En même temps qu'il devient capable de représenter certains éléments fidèlement à la réalité, comme le ciel, il réfléchit à son besoin de représenter ce réel. Parmi ce qui l'entoure, il accorde également de l'importance aux vêtements. Par exemple, il différencie les habits féminins des habits masculins. Il peut même inventer des motifs et suggérer des textures. Il a un grand souci du détail. La forme humaine, pour sa part, est maintenant représentée presque dans sa totalité. Quant aux couleurs, elles ne sont plus seulement émotives, mais reflètent également les expériences visuelles de l'enfant.

Le postschématisme : de 9 à 11 ans

Le préadolescent illustre de plus en plus la réalité lorsqu'il dessine. Il est capable d'utiliser presque tout l'espace de la feuille ou de tout autre support proposé et superpose facilement les différents éléments qu'il représente. La ligne d'horizon fait son apparition. Point encore plus crucial, il prend conscience de l'existence d'une troisième dimension et donc de la notion de perspective. Par contre, sa perception des éléments ne lui permet pas encore de la maîtriser. Il s'amuse à répéter des motifs, des textures et des détails. Ses personnages ont assurément une allure humaine, mais leurs mouvements sont statiques et rigides. L'enfant commence à représenter des protagonistes de profil et de dos. Il leur attribue un genre, un âge, un métier, une catégorie sociale, etc. Le choix des couleurs se fait surtout en conformité avec la réalité, même si l'on y note parfois certaines fantaisies. Enfin, le préadolescent participe volontiers à des œuvres collectives.

Le pseudo-réalisme : à partir de 11 ans

C'est le début de l'adolescence, et plusieurs jeunes se désintéressent alors des arts plastiques. Mais chez les autres et de manière générale, les dessins sont plus réalistes. Le jeune est attiré par le langage et exprime son envie d'échanger avec les autres. Il manifeste également le désir de copier la réalité, tout en y ajoutant de l'émotion ou des atmosphères en lien avec les sentiments qu'il éprouve. Par exemple, on retrouve des scènes dans lesquelles se traduisent la violence, l'amitié, la tristesse, etc. Deux tendances apparaissent à ce stade : « photographier » la réalité et exprimer sa vie intérieure. Dans les deux cas, le jeune porte une attention particulière aux proportions, aux détails et aux couleurs. La représentation des personnages se fait selon quelques schémas bien définis : le portrait, la caricature, le personnage de face ou de profil, etc.

À partir de 13 ans, l'adolescent personnalise ses dessins et continue de perfectionner ses techniques par la forme, la couleur, l'utilisation de l'espace et la texture. Il s'inspire d'œuvres d'artistes qu'il aime. Il est à la recherche d'un style propre par l'expression de sa vision du monde. C'est alors qu'il observe et analyse les mouvements et les formes. Les changements corporels qu'il subit lui-même se reflètent dans ses dessins. La fantaisie, la poésie et le romantisme s'expriment à travers le graphisme et la couleur. À ce stade, le jeune peut à la fois considérer ses émotions et sa raison. La composition est plus riche et complexe. L'adolescent sait exploiter la perspective et créer des atmosphères particulières, tout en subtilité. S'il en a la possibilité et le désir, il peut développer cette forme d'expression de façon plus importante encore.

Comment stimuler l'intelligence spatiale?

Stimuler l'intelligence spatiale d'un enfant, c'est d'abord l'aider à appréhender la notion d'espace dans la vie de tous les jours. Pour ce faire, on peut lui montrer à bien connaître son environnement immédiat : la grandeur de sa chambre et de la maison, les noms des rues de son quartier, le chemin qu'il doit parcourir pour aller à l'école... De même, ranger les articles d'épicerie ou encore classer ses jouets par couleur ou par grosseur lui enseigneront à structurer et à organiser son espace physique. Toujours à la maison, faire la cuisine est une activité très complète et formatrice : elle permet de jouer avec différentes formes, couleurs et textures. Elle donne aussi l'occasion de mettre en pratique la notion d'espace (le volume occupé par les ingrédients, par le gâteau qui gonfle) et de temps (le délai nécessaire à la préparation, à la cuisson). Si votre enfant aime la nature, proposez-lui de faire des courses d'orientation ou d'autres activités de plein air. En forêt, laissez-le vous guider sur les chemins de randonnée. En voiture ou en train, commentez avec lui les paysages qui défilent.

Plus important encore, peut-être, vous pouvez encourager votre enfant dans son exploration des arts visuels. Tous les enfants sont spontanément attirés par la peinture, le dessin et la sculpture. Profitez-en! Faites découvrir au vôtre les différentes couleurs et textures en manipulant avec lui des craies, des feuilles mortes, du sable, de l'herbe, de la terre, de la peinture, bref, tout ce qui vous semble intéressant. Apprenez-lui à distinguer certains gestes précis : déposer, brasser, étaler, mélanger, etc. Aidez-le à découvrir les sensations liées aux liquides, aux solides, à la chaleur et au froid. Laissez-le mêler et associer les couleurs à son gré. Proposez-lui de nouveaux matériaux : crayons, pastels gras, pastels secs, gouache. Réalisez avec lui des empreintes de vos mains et de vos pieds respectifs, des collages... Vous pouvez également aider votre enfant à fabriquer des objets en trois dimensions — depuis les maisons en blocs pour les tout-petits jusqu'aux modèles réduits d'avions pour les plus grands. Et finalement, pourquoi ne pas emmener votre petit garçon ou votre petite fille visiter des expositions d'art dans des musées ou des galeries?

Pensez également à aménager dans la maison un coin réservé à votre enfant où il pourra faire des expériences sans risquer de tacher les meubles ou le plancher. Pour des activités de peinture, le mieux sera de l'installer à proximité d'un évier. Il peut avoir son propre chevalet ou sa propre table de travail, mais de simples journaux étalés au sol feront aussi bien l'affaire.

Facilitez l'accès aux outils et aux matériaux. Par exemple, gardez les pastels, les marqueurs et le matériel de dessin dans des paniers ouverts, sur une étagère basse. Il importe aussi de préciser vos attentes dès le début de l'activité. Si votre enfant est tout petit, rappelez-lui que les crayons sont faits pour dessiner sur du papier, qu'ils ne se mangent pas et qu'il ne faut pas s'en servir sur les murs. Présentez-lui progressivement le matériel, une couleur à la fois pour les crayons, par exemple, pour lui éviter de se sentir perdu devant un trop grand choix.

Restez avec votre enfant. Montrez-lui que vous vous intéressez à ce qu'il fait. Votre présence l'inspirera et le motivera. Mais expliquez-lui bien qu'il s'agit de « son » projet. Rassurez-le en lui disant qu'il doit peindre pour s'amuser et non pour vous faire plaisir.

Enfin, faites des commentaires constructifs. Invitez votre enfant à réfléchir sur son œuvre. Demandez-lui, par exemple : « Tu voudrais me parler de ta peinture? », plutôt que : « Qu'est-ce que c'est? », question qui souvent ne mène nulle part. En regardant son dessin, formulez des remarques positives et concrètes sur les techniques employées et sur la façon personnelle dont il a utilisé le matériel. Dites-lui : « Je vois que tu as tracé une courbe en rouge », plutôt que d'émettre des appréciations trop générales comme :

« Magnifique ! ». Des remarques précises apprennent à votre enfant à être attentif aux détails de son œuvre. Inscrivez la date au dos de son dessin ou de sa peinture afin de pouvoir suivre sa progression à travers les stades graphiques. Puis, n'oubliez jamais d'afficher dans la maison ses plus belles réalisations !

Liste d'activités pour stimuler l'intelligence spatiale

- Manipulation de formes et de textures.
- Classement des jouets par couleur ou par taille.
- Jeux de construction.
- Casse-tête.
- Dessin.
- Peinture.
- Collages.
- Modelage ou sculpture.
- Photographie.
- Vidéo.
- Réalisation de maquettes.
- Cuisine.
- Course d'orientation.
- Jeux avec labyrinthes.
- Échecs.

Aider votre enfant dans ses apprentissages

L'enfant doté d'une intelligence spatiale apprendra mieux ses leçons s'il les visualise. Il faut alors privilégier les tableaux, les schémas et les images. Voici quelques petits conseils.

- Utilisez des couleurs. Suggérez, par exemple, à l'enfant de surligner les phrases importantes dans un texte, ou encore le vocabulaire à apprendre. Colorier différemment chaque table de multiplication est aussi une bonne façon de l'aider à les mémoriser.

■ Montrez-lui à étudier par l'intermédiaire d'images : demandez-lui d'illustrer ses mots de vocabulaire, aussi bien que le cycle de métamorphose du papillon, par exemple. Regardez et commentez avec lui des illustrations, des photos d'archives ou des œuvres d'art pour approfondir un sujet.

■ Regardez ensemble des films, des vidéos et des CD-Rom éducatifs.

■ Invitez l'enfant à apprendre par la manipulation d'objets : il comprendra ainsi plus facilement l'addition, la soustraction et autres opérations arithmétiques. Utilisez des maquettes pour lui expliquer le système solaire ou le plan des pyramides égyptiennes, etc.

Métiers et professions

Architecte, artiste, encadreur, chirurgien, cinéaste décorateur, dessinateur de mode, ébéniste, géographe, guide de plein air, infographiste, ingénieur, metteur en scène, paysagiste, photographe, pilote, urbaniste...

L'intelligence kinesthésique

De gestes et de rythme

Certains primates utilisent des branches pour se nourrir d'insectes, mais les outils ont vraiment été développés durant la préhistoire à partir de l'époque d'Homo habilis, « l'homme habile ». Flèches, arcs, grattoirs, couteaux ont été fabriqués en pierre, puis en bronze et en fer. L'intelligence kinesthésique trouve sa source dans le développement des habiletés manuelles de l'être humain. L'ancêtre de l'homme, en marchant sur ses deux jambes, a libéré ses mains et la position du pouce qui permet une meilleure préhension. De toutes les espèces, il est le plus habile de ses mains. Les chasseurs et les cueilleurs devaient être vifs et agiles pour tuer un animal sauvage avec un arc et récolter le miel d'une ruche juchée dans un arbre. L'agriculteur et les artisans devaient aussi avoir une bonne dextérité pour réaliser leurs outils et objets utilitaires. Aujourd'hui, l'intelligence kinesthésique est aussi reconnue dans la pratique de la danse et du sport, qui exigent de la souplesse, du rythme et une bonne perception des mouvements du corps.

L'intelligence kinesthésique ou corporelle est la capacité à résoudre des problèmes ou à produire des biens en utilisant tout ou une partie de son corps. Elle comprend deux aptitudes distinctes : le contrôle harmonieux et précis des mouvements du corps et la manipulation des objets avec talent. Ces éléments peuvent exister séparément, mais, en général, un individu doté d'une bonne intelligence kinesthésique possède les deux. Dès la naissance, le bébé utilise son corps pour s'exprimer : il remue et se tortille, s'agrippe et porte ses mains (et plus tard ses pieds) à sa bouche. En l'espace d'une année, il va accomplir des progrès fantastiques ; il va apprendre à tourner la tête puis le corps, à se tenir en position assise, à ramper, à se redresser et enfin à marcher. Quelques mois encore et il saura courir, sauter, monter un escalier et affronter tous les obstacles qui se trouvent sur son passage.

Les enfants qui ont une intelligence kinesthésique développée sont attirés par le sport et les activités physiques. Ils ont du mal à tenir en place, aiment jouer dehors et prendre des risques. Ils aiment travailler avec leurs mains, réalisant des projets de construction, des travaux de bricolage ou des expériences scientifiques. Ils apprennent mieux par le jeu et la manipulation, ont besoin de toucher pour apprendre. Souvent aussi, ils adorent danser et jouer à faire semblant. Ils privilégient le concret par rapport à l'abstrait.

À quoi sert l'intelligence kinesthésique ?

L'intelligence kinesthésique permet à l'enfant de rendre concrets les processus de la pensée et de traduire ses intentions en actes. Elle est à la base de l'expression corporelle, qui se manifeste tant chez les grands sportifs que chez les danseurs, les comédiens ou les chorégraphes. À un niveau moindre, elle permet à votre enfant d'avoir une bonne coordination, un bon équilibre et de prendre plaisir à la pratique de divers sports. L'éducation physique est très importante pour tous les enfants. Elle les aide à prendre conscience de leur corps. Elle leur donne également l'occasion de faire de l'exercice dans notre société si sédentaire, donc de se garder en bonne santé. Les bénéfices psychologiques sont tout aussi considérables. Le sport permet à l'enfant de se libérer de son stress, ainsi que d'extérioriser et de canaliser ses réactions d'agressivité, de domination et d'opposition. Le jeune qui manifeste des difficultés de comportement, par exemple, a intérêt à pratiquer des sports actifs, comme le judo, le karaté, le vélo de montagne, le ski alpin ou la planche à neige. La pratique sportive apportera beaucoup aussi à l'enfant timide ou en difficulté d'apprentissage, qui apprendra qu'il a sa place dans une équipe. Il deviendra moins passif, s'affirmera et vivra chaque bon résultat comme une petite réussite personnelle, améliorant ainsi son estime de soi.

En développant son intelligence kinesthésique grâce au sport, votre enfant s'amusera tout en assimilant des valeurs universelles : respect de soi, respect des autres, respect des règles, équité, combativité, dépassement de soi, acceptation de la défaite et de la victoire, etc.

Comment stimuler l'intelligence kinesthésique ?

Il est possible de stimuler l'intelligence corporelle à tout âge, même dès la naissance. Le bébé aime jouer avec son corps. Jouez avec lui à des jeux comme « la petite bête qui monte » ou « à dada sur mon cheval ». Encouragez-le à toucher son corps dans le bain ou à la plage. Massez-le. Amusez-vous à nommer avec lui les parties du corps et les différentes actions : marcher, courir, sauter, s'arrêter, etc. Présentez-lui toutes sortes d'objets et de textures, comme de la fourrure, de la laine, de la soie ou du velours pour qu'il puisse les manipuler à son aise. Les jeux avec de l'eau et dans l'eau sont aussi très formateurs. Les actions de transvaser, remplir ou verser développent la motricité fine. Les bébés aiment aussi se mouvoir dans l'eau. De nombreuses villes offrent d'ailleurs des programmes de « bébés nageurs » où les tout-petits, en compagnie d'un parent, jouent dans la piscine tout en exécutant quelques mouvements simples, comme sauter du bord ou se repousser avec les pieds.

À l'âge préscolaire, entre deux et cinq ans, vous pouvez aider votre enfant à s'exercer à tous les mouvements possibles : lancer et attraper une balle, sauter, tourner sur soi-même, frapper dans un ballon avec le pied, ramper dans un tunnel, etc. Les jeux moteurs avec le père sont importants aussi : jouer à se bagarrer, entrer en contact physique avec son père permet à l'enfant de se percevoir à travers ses différences et ses similitudes. Encouragez-le dans tous les jeux où il utilise son corps pour créer, notamment quand il joue à faire semblant et se met dans la peau de personnages : « On va dire que je suis un pompier, une princesse, un papa, un docteur... ». L'enfant prend possession de son corps. Il joue au théâtre de la vie et se met en scène pour mieux se préparer à son rôle d'adulte. Le dessin, la peinture, le bricolage lui permettent également de développer son habileté, tout en lui enseignant que ses mains sont capables de réaliser une œuvre. Apprenez-lui des chansons à mimer et quelques mouvements de danse. Si vous préférez être guidé, il existe un peu partout des ateliers parents-enfants qui proposent des activités d'éveil pour les tout-petits. Quant aux premiers cours d'expression corporelle ou d'initiation à la danse, ils sont en général offerts pour les enfants à partir de deux ans et demi ou trois ans.

Si, arrivé à l'âge scolaire, votre enfant est actif et apprend par le toucher et le mouvement, il est indispensable de l'inscrire à des activités parascolaires. L'école consacre en effet très peu de temps à l'éducation physique. Au primaire, le ministère de l'Éducation recommande deux heures d'éducation physique par semaine, mais chaque conseil d'établissement est libre de faire ce qu'il veut... Heureusement, il existe bien souvent un grand choix d'activités sportives organisées par la municipalité, et vous y trouverez facilement un sport qui correspond aux goûts de votre enfant et à votre budget.

Le schéma corporel et l'image du corps

Chaque enfant met en place une manière originale de découvrir son corps. Vous devez permettre au vôtre de développer sa motricité et sa personnalité afin qu'il reconnaisse et perçoive la singularité de son corps.

Le *schéma corporel* se définit comme étant la représentation que votre enfant se fait de son corps. Cette représentation lui permet de se situer dans l'espace. Pour réaliser adéquatement ses mouvements, il doit prendre conscience de toutes les parties de son corps (schéma anatomique) et comprendre comment celui-ci fonctionne (schéma fonctionnel). Ainsi, il coordonnera mieux ses gestes, atteindra un meilleur équilibre et s'orientera de façon plus efficace dans l'espace qui l'entoure. Les exercices moteurs, qui lui permettent de contrôler ses mouvements et de percevoir son corps de façon globale, représentent la première étape du développement du schéma corporel. Par exercices moteurs, on entend principalement les actions de locomotion (marcher, courir, sauter, grimper, descendre), les actions de non-locomotion (tourner, pivoter, prendre des postures) et les actions de manipulation (*dribbler*, jongler, lancer, frapper, recevoir). L'enfant passe ensuite à l'étape de la prise de conscience de chacune des parties de son corps. Le schéma corporel se construit tout au long de l'enfance. Il est considéré comme acquis vers l'âge de 11 ans.

L'*image du corps* diffère du schéma corporel. Elle correspond à la représentation mentale que l'on se fait de son corps, vu comme moyen d'expression. Cette image se réfère à des valeurs esthétiques et sociales et se construit à force d'expériences agréables ou douloureuses. Elle se développe par rapport à la perception des autres et dans la rencontre du corps des autres, enfants et adultes.

Le développement de l'intelligence kinesthésique

À la naissance, le schéma corporel n'est pas achevé. Il se développe à partir de données sensorielles multiples pouvant se classer en deux catégories distinctes. La première est celle qui résulte des perceptions internes. Il s'agit des informations provenant de l'activité propre de certains organes, comme les sensations musculaires et articulaires. Elles apportent à votre enfant des renseignements sur son propre corps. La deuxième se caractérise par des perceptions externes. Il s'agit d'informations provenant des stimulations du milieu extérieur perçues par nos cinq sens, la vue, le toucher, l'odorat, le goût et l'ouïe.

De 0 à 5 mois

Durant les premiers mois, ce sont les sensations internes comme le rythme cardiaque, les sensations digestives et buccales qui prédominent par rapport aux sensations externes. La bouche joue un rôle particulièrement important : le bébé s'amuse avec sa salive, suce son pouce, etc. Entre deux et cinq mois, il découvre son corps en le touchant. Il observe et manipule beaucoup ses mains et ses pieds. Toutefois, ces perceptions sont partielles, et l'enfant a une représentation éclatée de son propre corps.

De 5 mois à 2 ans

À partir de cinq mois, l'enfant réussit de mieux en mieux à saisir et manipuler des objets. Dès l'âge de 10 mois, il commence à faire la différence entre les sensations de son propre corps et les sensations extérieures, quand il prend un objet, par exemple.

À un an, l'enfant démontre une préhension des objets plus fine et il commence à faire ses premiers pas. La transformation la plus importante dans la maîtrise du corps est le passage de la locomotion à quatre pattes à la station debout. La station debout permet la libération des mains et l'ouverture sur un champ de vision plus large, car le monde est alors vu de face.

La reconnaissance de l'autre : le miroir

Le bébé s'intéresse au miroir vers l'âge de quatre mois. Il fixe son image du regard. Il est capable de sourire lorsqu'il se perçoit. À six mois environ, le bébé qui observe son père dans le miroir se retourne lorsque celui-ci parle. Il commence à faire la différence entre le modèle et son reflet, même si cela reste confus. Au cours de cette période, il cherche à toucher l'image de son père dans le miroir, car il perçoit deux pères, un dans le miroir et un autre qui lui parle. Il n'a pas encore compris la nature du reflet, qui reste pour lui un double du père.

La reconnaissance de sa propre image

La perception de son image dans le miroir est pour l'enfant une expérience nouvelle. Jusqu'ici, il n'a eu que des images partielles de lui-même (ses mains, ses pieds) lorsqu'il manipulait son propre corps. À présent, il doit comprendre que ce reflet est bien le sien, mais que lui-même n'est pas ce reflet. Il doit déconstruire la croyance d'une existence double en deux lieux différents. Afin de comprendre qu'il possède un corps entier et unique dans un espace donné, il doit traverser différentes étapes.

Vers l'âge de huit mois, le bébé est surpris à la vue de son image. Il essaie de la toucher et s'étonne de rencontrer la surface du miroir. Il vient de découvrir son image spéculaire, c'est-à-dire celle qu'il voit dans le miroir. Vers un an, l'enfant commence à accorder à son image spéculaire une réalité plus symbolique. Par exemple, il peut toucher une partie de son corps en se référant à son reflet dans le miroir. Toutefois, vous remarquerez que ses gestes sont beaucoup plus maladroits et imprécis. De 16 à 18 mois environ, il s'interroge sur la nature de cette image et l'explore en réalisant des expériences visant à la comparer à son corps réel. Autour de 18 mois, il réussit l'épreuve de la tache, c'est-à-dire qu'il parvient à toucher une tache sur son corps réel alors qu'il la perçoit dans le miroir.

De 2 à 5 ans

À cet âge, votre enfant fait son éducation corporelle grâce au jeu. Son activité psychomotrice s'exprime tout entière dans le mouvement. Il construit son patrimoine moteur et il est capable d'entreprendre une initiation à certains sports, notamment la natation, le soccer, la gymnastique et la danse.

De 6 à 7 ans

L'enfant de 6 ans commence l'apprentissage de l'écriture et de la lecture, qui relèvent de la motricité fine. Il est maintenant capable de travailler le contrôle postural, la coordination, l'équilibre, la latéralité, l'orientation dans l'espace et le temps, ainsi que d'anticiper les trajectoires. Il expérimente désormais des jeux qui comportent des règles précises. Il se met lui-même en situation de compétition et il n'aime pas les échecs. L'enfant de cet âge peut se décourager et manifester un certain désintérêt pour l'activité physique.

De 8 à 12 ans

À partir de huit ans, votre enfant contrôle ses gestes et maintient son effort pour atteindre un objectif. Il passe de l'initiation sportive au perfectionnement et à la compétition, qui fait partie intégrante de la pratique. Le sport conserve toutes ses valeurs éducatives, récompensant le jeune pour tous les efforts qu'il a fournis et encourageant la persévérance, le désir de réussir et la volonté. C'est une période où les enfants sont particulièrement sensibles aux vertus du sport. L'activité physique peut aider certains à gérer leur agressivité et d'autres, au contraire, à s'affirmer.

De 13 à 14 ans

Cette période est critique à cause des nombreux changements physiques et psychologiques qui s'y produisent. Préoccupé surtout de lui-même, le jeune adolescent a moins de temps à consacrer aux entraînements. Son évolution morphologique, l'instabilité psychique, l'apparition de la sexualité peuvent également provoquer chez lui des gestes perturbés, moins précis et moins coordonnés. C'est aussi le moment où il défie l'autorité, celle des parents et celle des entraîneurs. En résumé, la compétition devient moins importante, mais l'adolescent peut conserver un intérêt pour le sport non compétitif.

De 15 à 17 ans

Lors de la seconde phase de la puberté, les proportions physiques s'harmonisent, et l'équilibre psychique se rétablit. Votre adolescent reprend goût à l'entraînement et à la performance, dans les sports collectifs aussi bien qu'individuels.

Liste d'activités pour stimuler l'intelligence kinesthésique

- Les massages pour bébés.
- Les programmes de « bébés nageurs ».
- La manipulation de différents objets pour découvrir les textures, les formes, les couleurs et les dimensions.
- Les jeux de construction.

- Tous les sports individuels et d'équipe.
- Les cours de mime et de théâtre.
- Les cours d'expression corporelle et de danse.
- Le yoga, le taï chi et les arts martiaux.
- Le bricolage et les travaux manuels.

Aider votre enfant dans ses apprentissages

Si votre enfant est doté d'une forte intelligence kinesthésique, il a besoin de bouger et d'utiliser son corps pour apprendre.

- Organisez son espace de travail de manière à ce qu'il puisse bouger ou travailler debout.
- Suggérez-lui de réviser son vocabulaire ou ses tables de calcul pendant qu'il marche, dans la maison ou sur le chemin de l'école.
- Proposez-lui de faire des pauses actives pendant sa période de devoirs, afin qu'il puisse se dépenser quelques minutes.
- Réalisez avec lui des maquettes et des plans, par exemple, le plan d'une pyramide égyptienne ou le schéma de la circulation sanguine.
- Faites-lui découper des images en relation avec les thèmes étudiés.
- Encouragez-le à mettre en scène ou à jouer des scènes célèbres, historiques ou littéraires.

Métiers et professions

Chirurgien, danseur, entraîneur sportif, professeur d'éducation physique, comédien, athlète, artisan, horloger, mécanicien, infirmier, couturier.

L'intelligence naturaliste

De feu, de terre et d'eau

Depuis toujours, l'homme vit dans un milieu naturel comme tous les animaux, et ses connaissances lui permettent de se soigner, de pêcher, de chasser, de cultiver pour se nourrir, de se loger, de se vêtir, etc. On a l'impression que la société occidentale s'est coupée de la nature depuis des décennies, qu'elle lui tourne le dos, en quelque sorte. Peu à peu, l'industrialisation a provoqué un éloignement de l'homme avec la nature. Mais la science, en particulier dans les disciplines de la biologie, la génétique et l'écologie, nous a apporté de grandes connaissances du fonctionnement de la vie, depuis la cellule jusqu'à la biosphère. Elle nous a éclairés sur les conséquences de nos comportements de citoyens et de consommateurs. L'intelligence naturaliste permet de conserver cette sensibilité nécessaire à l'avenir de la Terre.

L'intelligence naturaliste est la capacité de reconnaître et de classer, d'identifier des formes et des structures dans la nature, sous ses formes minérale, végétale ou animale. Cette forme d'intelligence a été identifiée par Howard Gardner à la fin des années 1990. Elle a joué un rôle fondamental dans l'histoire de l'évolution humaine, au temps où la survie des hommes qui vivaient de la chasse et de la cueillette, puis de l'agriculture, dépendait de leur connaissance de la nature.

Cette intelligence se développe dans les premières années de l'enfance. Tous les enfants sont attirés par les animaux, les plantes et les roches. Ils sont sensibles aux odeurs de la nature, à la beauté des fleurs et des insectes, ils réagissent avec excitation à la première neige et aiment jouer dans les tas de feuilles mortes.

Les enfants chez qui l'intelligence naturaliste prédomine collectionnent les pierres, les coquillages ou tout ce qu'ils peuvent ramasser dans la nature. Ils sont fascinés par les animaux et leurs comportements et observent avec grand intérêt leur environnement naturel. Ils ont la fibre écologiste. Ce sont souvent les premiers à vous dire de pratiquer le tri sélectif ou de ne pas gaspiller l'eau. Ils savent organiser des données, sélectionner, regrouper, faire des listes. Ils ont besoin de comprendre les phénomènes naturels comme le vent, la neige, les tornades ou le système solaire, et vous posent quantité de questions à ce propos.

À quoi sert l'intelligence naturaliste?

L'enfant apprend énormément en observant les plantes et les animaux: la vie, la mort, le cycle des saisons, la nuit, le jour, la reproduction, les formes d'organisation sociale (pensez aux fourmis), etc. La nature offre d'incroyables leçons de vie, souvent aussi essentielles que celles qu'on apprend entre les quatre murs d'une salle de classe. L'enfant acquiert une meilleure compréhension des lois de la nature et de l'interdépendance des êtres vivants dans leur environnement. L'intelligence naturaliste développe la curiosité, l'objectivité, la prudence, la persévérance, la confiance en soi, la considération envers autrui et le respect des êtres vivants. À l'âge scolaire, cette bonne connaissance des phénomènes naturels et le goût de l'expérimentation favorisent la minutie, la précision, l'ouverture d'esprit, la réflexion et l'esprit critique. Cette forme d'intelligence aidera votre enfant à devenir un consommateur averti et un citoyen responsable capable de connaître les grands défis et problèmes écologiques de ce siècle, tels que la pollution, les OGM, le réchauffement climatique ou le développement durable.

L'observation de la nature constitue aussi la voie la plus facile pour intéresser les enfants aux sciences. En progressant, votre enfant découvrira que nous sommes entourés d'un monde de mystères. Pourquoi le soleil se lève-t-il? Qu'est-ce que le feu? D'où proviennent les couleurs? Pour comprendre ces phénomènes, votre enfant doit se poser des questions, formuler des hypothèses, faire des expériences, autant de gestes qui sont à la base de la pensée scientifique et nous permettent de comprendre le monde dans lequel nous vivons.

La naissance de la pensée scientifique chez l'enfant

L'enfant élabore ses premières idées à partir de ses perceptions (le feu brûle, les becs de maman sont agréables...), puis à partir de ce qu'il entend autour de lui, dans les conversations entre adultes ou bien à la télévision. Mais il saisit des mots sans en comprendre toute la signification, surtout quand le langage est imagé ou métaphorique. De plus, pour le petit enfant, chaque phénomène distinct possède une et une seule cause. Il n'est pas capable d'imaginer une combinaison de facteurs. Par exemple, il sait que la fleur a besoin d'eau pour pousser. Mais il oublie qu'elle a aussi besoin de terre, de lumière et d'une certaine température.

D'habitude, l'enfant ne vérifie pas ses idées, ou, tout au moins, il ne le fait pas systématiquement. Disposant d'une expérience limitée, il a aussi tendance à généraliser ses conclusions. Ainsi, s'il a observé un tronc de bois qui flottait sur l'eau, il en déduira que tous les arbres flottent et il ne remettra pas ce savoir en question si on l'interroge sur un type de bois en particulier. Tant pis pour l'ébène, bois très dense, qui coule à pic... L'enfant qui manque d'opinions et de preuves préfère se rabattre sur des idées toutes faites plutôt que de ne pas en avoir du tout.

Il est important de prendre au sérieux les idées de votre enfant, car elles vont servir de point de départ à une véritable démarche scientifique. À partir de six-sept ans, vous pouvez l'encourager à faire des recherches et des expériences pour vérifier ses conceptions. D'intuitives, basées sur des perceptions ou des lieux communs, ses idées vont progressivement devenir scientifiques, c'est-à-dire qu'elles respecteront un processus en quatre temps : l'identification du problème, l'observation, la formulation d'hypothèse et l'expérimentation juste.

La première étape est l'identification du problème. Afin qu'un problème puisse émerger, l'enfant doit se l'approprier, à savoir qu'il doit le formuler ou que vous devez le formuler à sa place s'il a des difficultés à le faire. Vérifiez toujours que l'enfant saisit parfaitement la situation. Pensez aussi à choisir un problème qui ne soit pas trop lourd émotionnellement. Le sida, par exemple, peut être très intéressant d'un point de vue scientifique, mais est beaucoup trop déstabilisant pour un enfant. Préférez-lui le système solaire ou le principe d'Archimède, plus neutres. Il est nécessaire aussi, bien sûr, de choisir un problème en lien avec l'âge et le niveau intellectuel de votre enfant.

Dans un deuxième temps, votre enfant devra faire appel à l'observation. La majorité des enfants ont de la difficulté à remarquer les détails. Ils regardent un objet dans sa globalité sans tenir compte des petits indices. Si un enfant observe un mur, par exemple, il aura du mal à distinguer les vieilles briques des neuves, à reconnaître la manière dont les briques sont disposées ou à détecter les petites fissures. Apprenez-lui à bien observer, car l'observation peut apporter les preuves qui permettent de valider une idée.

La troisième étape consiste à formuler des hypothèses. Elle joue un rôle fondamental dans le progrès des idées, car il s'agit ici de passer de la « supposition », qui ne peut jamais être affirmée avec certitude, à « l'hypothèse », qui est admise provisoirement avant d'être soumise au contrôle de l'expérience. L'hypothèse a également une visée plus générale : l'enfant doit vérifier si elle s'applique dans d'autres situations. Par exemple, on suppose que le sucre se dissout mieux dans un café bien chaud. L'hypothèse sera que les matières qui se dissolvent dans l'eau le font plus rapidement dans l'eau chaude. La vérification de cette hypothèse par l'expérience infirmera ou confirmera l'idée de départ. Si l'hypothèse se révèle fausse, l'enfant devra apprendre à la modifier, à « changer d'opinion ».

La quatrième et dernière étape du processus concerne l'expérimentation juste. Pour reprendre l'exemple du sucre et du café, l'enfant peut réaliser plusieurs expériences en variant la température du liquide et le type de matière à dissoudre (sucre fin, sel, savon à lessive, etc). Votre rôle est d'attirer son attention sur l'influence possible des différentes variables. Une excellente façon pour un parent d'aider son enfant à comprendre cette étape est de lui poser des questions qui le conduiront à s'apercevoir qu'il n'a peut-être pas tenu compte de toutes les variables impliquées.

Comment stimuler l'intelligence naturaliste ?

Très tôt, malheureusement, les adultes coupent l'enfant de son environnement naturel pour le transporter dans un monde de représentations comme celui de l'école. L'enfant est loin de la réalité lorsqu'on lui montre des images de chats, de montagnes, d'arbres, de poules ou de vaches. Il se représente alors l'objet sans l'avoir perçu avec tout son corps. Vous devez permettre à votre enfant, surtout si vous habitez la ville, d'être en contact avec le réel. Le zoo, l'aquarium, le parc, le jardin de grand-maman ou la forêt sont des endroits à privilégier, de même les sorties aux pommes, aux citrouilles et à l'érablière à la saison des sucres. Encouragez votre enfant à toucher, sentir, voir et entendre la nature. Emmenez-le faire des activités en plein air, comme des marches, des glissades, des jeux dans la neige, l'observation des oiseaux et des étoiles, le ramassage de roches pour faire une collection ou la cueillette de plantes pour réaliser un herbier.

Les enfants chez qui l'intelligence naturaliste prédomine sont souvent plein de ressources. Voici ce que me confiait récemment un biologiste : « Quand j'étais petit, il n'y avait pas de loisirs organisés dans mon village, Saint-Félix-de-Valois. Mon activité préférée était ce que j'appelais faire de la chimie : j'adorais mélanger deux ingrédients pour voir ce que ça donnerait ! Je m'étais monté un genre de laboratoire dans la cave de notre maison... et j'avais très hâte d'arriver au secondaire pour faire de la vraie chimie. »

Les sciences font partie intégrante de notre vie. La cour arrière ainsi que notamment la cuisine sont susceptibles de devenir de véritables « laboratoires ». Accompagnez votre enfant dans ses découvertes en ayant toujours en tête deux préoccupations majeures : l'éducation et la sécurité. Les projets scientifiques doivent être conformes aux normes pédagogiques afin que l'enfant acquière des connaissances et des compétences adaptées à son âge et, dans la mesure du possible, liées au programme scolaire. De plus, ces projets doivent être conçus par des spécialistes soucieux de la sécurité des enfants. Même les manipulations les plus simples et qui utilisent les produits les plus élémentaires peuvent être nocives et dangereuses. Il faut donc en tout temps être présent et vigilant.

Comment accompagner votre enfant dans ses découvertes?

Montrez à votre enfant que vous valorisez ses idées, quelles qu'elles soient. Guidez-le, au début, pour ses expériences, et soyez patient! Laissez-lui le temps d'explorer librement les objets et de travailler avec comme il le souhaite. Discutez ensuite avec lui de ce qu'il pense avoir découvert. Rappelez à votre enfant, de façon délicate, quelques principes. Expliquez-lui, par exemple, qu'il est nécessaire de travailler en équipe lorsqu'on fait un travail scientifique afin d'unir les connaissances de tous. Attardez-vous sur ce que lui et vous-même avez appris depuis qu'il a commencé ses recherches. Votre enfant apprend en suivant votre exemple. Faites de votre côté une bonne recherche avant de répondre, aussi précisément que possible, à ses questions.

Encouragez votre garçon ou votre fille à poser des questions. Répondez en lui suggérant des actions qui lui feront faire découvrir quelque chose, plutôt que de lui donner tout de suite la réponse. À votre tour, posez-lui des questions ouvertes et d'autres questions qui l'inciteront à exprimer ses idées. Remarquez que, dans le feu de l'action, votre enfant travaille bien sans votre aide. Parfois, écoutez-le, simplement, sans dire un mot. Remarquez de quelle façon ses idées évoluent. Discutez avec lui des preuves sur lesquelles il a fondé ses conclusions. Parlez-lui de ses progrès et encouragez-le à évaluer lui-même ses expériences et ses travaux.

Grâce à l'étude des sciences, votre enfant apprend à émettre des hypothèses, à recueillir des données, à évaluer des énoncés, à chercher des similitudes, à partager ses découvertes avec ses camarades, à écrire des articles, à faire des présentations et à mener des expériences. Ces compétences sont primordiales pour assurer le succès en classe et dans la vie professionnelle. De plus, la faculté de l'enfant à raisonner lui permettra de devenir un électeur et un citoyen capable de prendre des décisions éclairées.

Liste d'activités pour stimuler l'intelligence naturaliste

- Marcher dans la nature avec ses parents ou des amis.
- Découvrir les animaux de la forêt dans les parcs nationaux.
- S'inscrire à un club de loisirs scientifiques.
- S'inscrire à un camp de jour spécialisé en sciences naturelles.
- Visiter un jardin botanique, un zoo, une réserve faunique.
- Faire des collections de coquillages, de roches, de minéraux.
- Fabriquer un herbier des plantes indigènes.
- Observer les oiseaux, apprendre leurs chants.
- Participer au recyclage.
- Participer à des activités de nettoyage dans sa communauté.
- Planter un jardin ou des fleurs dans des pots.
- S'occuper d'une plante d'intérieur, faire pousser une plante à partir de graines.
- Prendre soin d'un animal.
- S'abonner à une revue scientifique pour enfants.

Aider votre enfant dans ses apprentissages

Pourquoi ne pas proposer quelques sujets de réflexion à votre enfant ? Les questions qui suivent, directement inspirées de phénomènes naturels faciles à observer, donnent l'occasion de s'exercer au raisonnement scientifique : formuler des hypothèses, vérifier par l'expérimentation ou des recherches et conclure.

Pourquoi ne voit-on pas les étoiles pendant la journée?

Réponse: Elles sont invisibles pendant la journée parce qu'elles sont moins lumineuses que l'atmosphère terrestre, éclairée par le soleil.

Expérience possible: allumer de petites sources de lumière (type petite lampe de poche) en plein jour ou près d'une puissante lumière halogène et constater qu'on ne les distingue plus.

Pourquoi les avions laissent-ils une traînée blanche dans le ciel?

Réponse: Les gaz libérés par les réacteurs contiennent de la vapeur d'eau. La température est très froide à haute altitude. Cette vapeur d'eau se transforme en un long nuage de petits cristaux de glace.

Expérience possible: il est impossible de reproduire les températures extrêmes nécessaires au phénomène. Mais le petit nuage qui se forme quand on souffle par une journée de grand froid peut en donner une approximation.

Pourquoi entend-on la mer dans un coquillage?

Réponse: le coquillage est une caisse de résonance qui amplifie les bruits, soit, dans ce cas précis, le bruit du sang qui bat dans l'oreille.

Expérience possible: trouver un objet petit (le couvercle d'une boîte, par exemple) qui agisse aussi comme caisse de résonance.

Métiers et professions

Vétérinaire, biologiste, garde forestier, écologiste, agriculteur, éleveur, géologue, astronome, technicien en santé animale, gardien d'animaux de zoo, ingénieur, météorologue, chimiste, technicien en sciences de la nature, botaniste, pépiniériste, horticulteur, chercheur, sociologue, chef cuisinier, géomètre, anthropologue, océanographe, explorateur moderne.

L'intelligence musicale

De sons et de chants

Les oiseaux utilisent les mélodies et le rythme pour communiquer entre eux. Chaque espèce possède un chant spécifique que l'on peut reconnaître. Il existe même des oiseaux — les moqueurs, entre autres — qui imitent le chant d'autres espèces.

Les humains aussi utilisent la musique depuis la nuit des temps. Les fouilles archéologiques ont mis au jour des instruments de musique datant de milliers d'années. À travers le temps et sur tous les continents, les humains ont inventé des chants, des airs et des instruments à percussion, à vent et à cordes. La musique est aussi complexe que le langage. Elle a ses codes et ses règles, qui ne sont pas les mêmes d'un continent à l'autre. La musique indienne ou chinoise a peu en commun avec les harmonies occidentales, les chants inuits et zoulous. L'intelligence musicale est créative et participe au développement d'un individu et à son intégration sociale par la pratique d'un instrument et la création de musique et de chansons.

L'intelligence musicale est la quatrième forme d'intelligence identifiée par Howard Gardner. Elle se définit comme la capacité à suivre et à produire des rythmes, à percevoir les sons et les mélodies. De toutes les intelligences, l'intelligence musicale est celle qui apparaît le plus tôt et le plus nettement. C'est dans ce domaine que l'on trouve le plus grand nombre d'enfants prodiges — Mozart, bien sûr, qui composa sa première œuvre à l'âge de six ans, mais aussi le compositeur français Camille Saint-Saëns, ou encore le violoniste Yehudi Menuhin, qui donna son premier récital à New York à l'âge de neuf ans.

L'enfant qui a une intelligence musicale développée aime chanter, retient facilement les airs entendus, marque le rythme, tambourine sur tous les récipients qu'il trouve et est capable de distinguer toutes sortes de sons, les différents chants d'oiseaux, par exemple. Plus âgé, il aura de la facilité à imiter les accents et à apprendre les intonations des langues étrangères.

À quoi sert l'intelligence musicale ?

L'intelligence musicale peut sembler une forme d'intelligence un peu marginale, et, pourtant, votre enfant peut en tirer des bénéfices considérables. Pour certains chercheurs, l'absence d'art et de musique dans la petite enfance pourrait ralentir le développement cognitif global de l'enfant. À la fin des années 1990, une étude réalisée à Berlin par le chercheur Gunter Kreutz et intitulée *La Formation musicale et ses effets* souligne que les élèves qui reçoivent un enseignement en musique à l'école primaire sont plus performants que les autres en mathématiques, géométrie, allemand et anglais. Plus largement, la musique peut aider un enfant en difficulté, car elle incite à puiser à l'intérieur de lui-même et à extérioriser ce qu'il ressent. Elle peut aussi lui permettre d'améliorer son estime de soi grâce à la pratique d'un instrument. Même s'il ne devient jamais un virtuose, il sera fier de montrer ses talents à ses parents ou à ses amis. Autre point important, la musique donne des occasions de partager, soit verbalement quand l'enfant et ses proches parlent, par exemple, de leurs musiques préférées, soit tout simplement en silence quand ils écoutent ensemble une pièce musicale.

L'enfant doté d'une bonne intelligence musicale a également accès à toute une palette d'émotions suscitées par les sons. Pour lui, la musique est un formidable moyen de se détendre, de réduire son stress, mais aussi de se concentrer. Dans un processus d'apprentissage, elle crée un environnement émotionnel et positif, en diminuant les tensions et l'anxiété. Cette forme d'expression stimule en outre son imaginaire et sa créativité.

Développer l'intelligence musicale d'un enfant peut aussi contribuer à établir un équilibre entre ses deux hémisphères cérébraux. Chez un droitier, l'hémisphère droit est plutôt global et analogique, alors que le gauche se caractérise par une pensée linéaire et analytique. L'école vise au développement de la partie gauche du cerveau, celle du langage, de la logique et du raisonnement. La musique, elle, stimule essentiellement la partie droite. Cet équilibre entre les deux parties permettrait notamment de trouver des solutions plus créatives.

Musique et mathématiques

De tous les arts, la musique est celui qui entretient les liens les plus étroits avec les mathématiques et la technologie. Les mathématiques permettent de rendre compte des systèmes musicaux, et, traditionnellement, les compositeurs manifestent un grand intérêt pour les mathématiques, n'hésitant pas à les intégrer dans leur travail de composition. C'est encore plus vrai depuis le développement de l'informatique. Désormais, le son est numérisé, et il existe une pléthore de logiciels de composition assistée par ordinateur. Cette révolution technologique ne fait que renforcer l'idée, ancienne, que musique et mathématiques sont liées et que l'apprentissage de l'une favorise l'apprentissage de l'autre. Que faut-il en penser? Est-ce qu'en apprenant la musique à votre enfant, vous l'aiderez à mieux comprendre les mathématiques? Il semble en tout cas n'y avoir aucune relation directe de cause à effet. Ce n'est sans doute pas tant l'apprentissage du langage musical qui est important que celui de l'effort et de la rigueur, lequel pourra servir ensuite dans bien d'autres domaines, dont les mathématiques.

Comment stimuler l'intelligence musicale?

L'intelligence musicale se développe en écoutant de la musique, en chantant, en apprenant diverses danses, en jouant des instruments de musique et en composant des mélodies ou des chansons. La pratique du chant en particulier est une excellente façon de stimuler cette intelligence, car l'enfant apprend à respirer, à articuler et à mémoriser. L'enfant qui chante régulièrement s'exprime avec plus d'assurance. De plus, il a du plaisir à se retrouver dans une chorale, dans un groupe avec ses amis.

On peut conseiller aussi de prévoir des moments d'écoute à la maison: écoute d'un conte, d'une séquence de bruits divers ou d'une musique. De tels moments aident l'enfant à développer ses capacités auditives et sa culture musicale. Ils créent un climat sonore à partir duquel se construit sa mémoire musicale. Au fur et à mesure et avec l'assistance d'un parent qui le guide, son écoute sera plus riche: il sera capable de reconnaître les instruments, de repérer les ruptures de rythme, d'identifier certains accords, etc. Divers jeux musicaux disponibles dans le commerce peuvent l'aider à affiner son oreille.

Les extraits proposés doivent être clairs, courts et choisis parmi tous les styles, les genres, les origines et les époques.

Encouragez les réponses corporelles de votre enfant qui, spontanément, exécute des mouvements correspondant aux pulsations, à la cadence au timbre, à la hauteur... Laissez-le danser, ou dansez avec lui ! Le geste musical permet d'apprendre à exprimer par son corps les éléments sonores.

Deux grandes méthodes d'enseignement musical

La méthode de rythmique Dalcroze

Cette méthode a été créée au début du XXe siècle par le musicien et pédagogue suisse Emile Jacques-Dalcroze. Elle consiste à développer le sens du rythme par l'utilisation de tout le corps. Le corps devient ainsi « l'instrument où se joue le rythme ». Les notions rythmiques — mesure, pulsations, rapport des durées — , comme les notions harmoniques et mélodiques — gammes, tonalité, accords sont intégrées à travers le mouvement et le jeu. L'improvisation tient aussi une place très importante. L'étude du solfège, puis la pratique d'un instrument ne viennent que plus tard, au secondaire, quand l'oreille musicale est suffisamment développée. Cette méthode est utilisée pour l'apprentissage de la musique, mais également en danse contemporaine et en théâtre. Elle s'adresse aussi bien aux futurs professionnels qu'aux amateurs, enfants et adultes.

La méthode Suzuki

La méthode d'enseignement Suzuki a été créée par Shinichi Suzuki au Japon dans les années 1940. Après la guerre, elle s'est répandue dans la plupart des pays occidentaux. Cette approche pédagogique est centrée sur l'apprentissage précoce et le « par cœur ». L'enfant commence à prendre des cours vers l'âge de deux ans et demi ou trois ans. Il va regarder, écouter, puis reproduire. Le principe est de lui faire reproduire les sons qu'il entend, en suivant le même processus d'apprentissage que pour l'acquisition de sa langue maternelle. L'enfant progresse par petites étapes : chaque stade doit être assimilé avant de pouvoir passer au suivant, afin de permettre à l'enfant d'exploiter son plein potentiel. On ne lui apprend à lire une partition que des années plus tard. Dans l'approche Suzuki, l'implication des parents est fondamentale. On leur demande de faire écouter à leur enfant des enregistrements musicaux, de répéter tous les jours avec lui, d'assister aux leçons en observant et en prenant des notes. Des parents ont même l'occasion d'apprendre les notions de base en même temps que leur enfant. À l'origine, la méthode Suzuki ne s'appliquait qu'à l'enseignement du violon, mais elle existe maintenant pour la plupart des instruments.

Le cerveau musical

La musique est d'abord captée par notre oreille interne, qui la transforme en fréquences constituant les sons. Les récepteurs auditifs de la cochlée, un canal en forme de spirale situé à l'intérieur de l'oreille interne, se chargent ensuite d'encoder les influx nerveux. L'information est acheminée au cerveau *via* le nerf auditif. Ensuite, tout se complique : existe-t-il dans le cerveau des zones propres au traitement de la musique ? Si oui, où se trouvent-elles ? Une trentaine de spécialistes dans le monde étudient ces questions, notamment à Montréal où a été fondé en 2005 le BRAMS, le plus important laboratoire international de recherches sur le cerveau, la musique et le son. Ce laboratoire est dirigé par les professeurs Isabelle Peretz et Robert Zatorre. Grâce au travail de ces deux chercheurs et de leurs équipes, nous en savons aujourd'hui beaucoup plus sur notre « cerveau musical ». Tout d'abord, il existe bien des régions du cerveau humain dédiées spécifiquement à la musique. Elles ne se confondent pas avec la région du langage, même si elles en sont très proches. Ainsi, l'on peut perdre complètement l'usage de la parole (aphasie), après un accident vasculaire, par exemple, et être encore capable de composer de la musique. L'inverse est aussi possible. Isabelle Peretz a beaucoup étudié le cas d'une femme de 40 ans, Céline, ancienne mélomane, qui avait perdu la capacité d'apprécier la musique (amusie). Cette personne entendait parfaitement ce qu'on lui disait, reconnaissait tous les bruits familiers et la voix de ses proches, mais pouvait écouter 20 fois de suite la même mélodie sans la reconnaître ! Les recherches de Isabelle Peretz ont démontré que le cerveau distinguait les aspects émotionnels de la musique, comme la gaieté ou la tristesse exprimée par une musique, des aspects cognitifs, comme la reconnaissance de la structure et de la cohérence de la mélodie. Les deux aspects sont traités dans des zones différentes du cerveau et sont indépendants l'un de l'autre. Pour reprendre l'exemple de Céline, Isabelle Peretz explique qu'à l'écoute d'un air qu'elle connaissait, l'*Adagio* d'Albinoni, la jeune femme était incapable de reconnaître la mélodie, mais disait que celle-ci lui semblait triste et lui rappelait l'*Adagio* d'Albinoni.

Le professeur Zatorre et son équipe, quant à eux, se sont davantage intéressés à la notion de plaisir musical. Ils ont trouvé que la musique activait les centres de récompense du cerveau appelés les « centres du plaisir du cerveau ». Elle provoque alors euphorie et frissons. Ce sont ces mêmes centres qui réagissent aux stimuli liés à la nourriture, à la sexualité et à la chaleur. Cette étude est importante, car elle fait de la musique un véritable besoin biologique et non un simple plaisir culturel.

Toutes ces études nous démontrent l'importance de la musique et sa complexité. Elles nous éclairent d'ailleurs sur le cas de Beethoven. Celui-ci était complètement sourd quand il composa la Neuvième symphonie. Comment est-ce possible ? Pas d'incompatibilité, répondent les chercheurs, le cerveau de Beethoven activait sa mémoire musicale et, à défaut d'entendre les notes avec ses oreilles, il les entendait parfaitement dans sa tête !

Liste d'activités pour stimuler l'intelligence musicale

- Explorer les sons et les bruits avec des objets de la maison.
- Fabriquer des instruments à percussion : tambour, maracas, etc.
- Chanter en solo, en duo ou dans une chorale.
- Écouter des œuvres musicales classiques : Mozart, Prokofiev, Tchaïkovski, Chopin, etc.
- Écouter des œuvres musicales pouvant intéresser les enfants : Pierre et le loup (Prokofiev), L'Oiseau de feu (Stravinsky), Le Lac des cygnes (Tchaïkovski), etc.
- Explorer des musiques du monde : africaine, indienne, asiatique, cubaine, etc.
- Danser en famille.
- Suivre un cours de danse ou d'expression corporelle.
- Assister à un ballet, comme Casse-Noisette (Tchaïkovski).
- Assister à un concert pour enfants ou à des matinées de l'Orchestre symphonique.

Aider votre enfant dans ses apprentissages

Si votre enfant est particulièrement sensible à la musique, les conseils ci-dessous peuvent l'aider à mieux apprendre.

- À l'heure des devoirs, créez autour de lui un environnement sonore favorable : éliminez tous les bruits parasites et permettez-lui de travailler en musique. Cela l'aidera à se concentrer.
- Pour retenir des définitions, des règles de grammaire ou des informations importantes, suggérez-lui de les mettre sous la forme rythmée de comptines ou de poèmes, par exemple, sur le modèle de la phrase « Mais où est donc Ornicar », qui sert à se souvenir des principales conjonctions de coordination.
- Pour travailler la rédaction, proposez-lui d'écrire une chanson ou bien de nouvelles paroles sur un air connu.

■ Abordez les événements et les périodes historiques à travers leur production musicale (par exemple, la Marseillaise pour la Révolution française ou le jazz pour l'histoire des Noirs américains).

■ Pour l'intéresser à l'environnement et aux sciences naturelles, apprenez-lui à écouter les sons de la nature.

Métiers et professions

Musicien, chanteur, choriste, compositeur, ingénieur du son, technicien du son ou de plateau, bruiteur, chef d'orchestre, animateur radio, réalisateur radio, musicothérapeute, accordeur, fabricant d'instruments de musique, poète.

L'intelligence interpersonnelle

De contact et de parole

Ancêtres de l'homme, les primates sont reconnus comme des êtres sociaux. Leur organisation sociale est établie sur le partage des tâches et une hiérarchie complexe et bien organisée. Les humains ont poussé encore plus loin la complexité des relations sociales entre individus, dans les tribus primitives tout comme dans les différents types d'organisation de la famille. Certains peuples sont matrilinéaires, et leur descendance est transmise par la mère, tandis que la plupart des autres cultures sont patrilinéaires. Les relations dans une famille et dans une société sont dictées par les normes culturelles. Chez les chasseurs-cueilleurs, les hommes chassaient, tandis que les femmes apprêtaient les peaux et nourrissaient le clan. Avec l'éclosion des villes, du commerce et de l'industrialisation, ainsi que le développement du secteur économique des services, l'intelligence interpersonnelle est devenue une nécessité pour apprendre à « vivre ensemble ».

L'intelligence interpersonnelle est la capacité d'être empathique, de communiquer, de comprendre, d'échanger et de travailler avec les autres. Sous une forme élémentaire, chez le tout-petit, c'est l'aptitude à distinguer les différentes personnes qui s'occupent de lui et à deviner leur état d'esprit. Chez l'adolescent et l'adulte, cette forme d'intelligence permet de reconnaître les sentiments et les intentions des autres et éventuellement de les influencer, que ce soit pour les consoler, les guider ou les manipuler. C'est l'intelligence des grands communicateurs, des hommes politiques, mais aussi des gourous. Elle est intimement liée au processus de socialisation par lequel l'enfant assimile les règles et les valeurs de la société dans laquelle il vit, elle varie donc considérablement selon les cultures.

Un enfant doté d'une bonne intelligence interpersonnelle s'entoure facilement d'amis et devient souvent le chef de sa bande. Il communique aisément, fait preuve d'empathie, de compassion, de respect pour les autres. Il cherche spontanément de l'aide auprès d'une autre personne quand il rencontre un problème et il est habile dans la résolution de conflits. C'est un médiateur né. Il préfère les situations gagnant/gagnant, il aime diriger les discussions, mener des projets collectifs, conseiller ses amis, aider les plus petits que lui et comprendre les préoccupations de chacun. C'est le genre d'enfant qui adore jouer à l'école en vulgarisant les concepts, en prenant plaisir à expliquer aux autres enfants les devoirs et leçons et en se mettant, bien sûr, dans le rôle de l'enseignant.

À quoi sert l'intelligence interpersonnelle?

Elle est au cœur de la socialisation de l'individu. Quand ce type d'intelligence est bien développé chez l'enfant, celui-ci a des relations harmonieuses avec son entourage et ses amis, donc une vie affective plus satisfaisante. Des relations interpersonnelles harmonieuses facilitent également l'acquisition des habiletés sociales fondamentales, comme le respect d'autrui et de la propriété privée ou la primauté du droit sur la violence. C'est en guidant l'enfant avec amour que les adultes qui s'occupent de lui, parents ou éducateurs, lui enseignent quels sont les comportements acceptables en société et lesquels ne le sont pas. L'intelligence interpersonnelle aidera donc votre enfant à devenir un individu socialement bien intégré, capable de se faire des amis et de vivre plus facilement des relations de couple. Ce type d'intelligence lui apprend aussi beaucoup sur lui-même. C'est en effet à travers ses rapports avec les autres qu'il va comprendre la manière dont ceux-ci le perçoivent, donc construire sa propre perception de lui-même. L'intelligence interpersonnelle est enfin très utile en classe et pourra l'être plus tard, dans un cadre professionnel, quand il faudra sans cesse s'adapter à de nouveaux groupes, savoir travailler en équipe et gérer des conflits.

Comment stimuler l'intelligence interpersonnelle?

On peut travailler à améliorer son intelligence personnelle toute sa vie, mais la période de l'enfance est cruciale, car le jeune peut aller aisément vers les autres avec confiance en se référant à son expérience sécurisante vécue avec ses parents ou son entourage. L'enfant qui évolue dans un milieu violent ou négligeant peut éprouver des difficultés à entrer en relation avec les autres et manifester des difficultés comme le repli, l'agitation, l'agressivité ou autres comportements internalisés ou externalisés. Dès la naissance, votre enfant a besoin de sentir votre présence et manifeste des besoins affectifs et sociaux importants. L'enfant interagit d'abord avec sa mère ou la figure maternelle qui la remplace, puis avec les autres personnes qui vivent avec lui. Vous devez communiquer avec votre bébé, le toucher le plus souvent possible, apprendre à reconnaître ses demandes pour pouvoir y répondre rapidement.

La théorie de l'attachement

Dans les années 1950, plusieurs chercheurs ont commencé à s'intéresser aux relations entre la mère et son nourrisson, en s'interrogeant notamment sur l'importance de ce premier lien dans le futur processus de socialisation. Le psychiatre britannique John Bowlby a ainsi proposé le terme d'attachement pour qualifier la relation entre la mère et son bébé et a démontré que le jeune enfant avait un besoin primordial, c'est-à-dire essentiel à sa survie, d'établir avec sa mère ou avec une autre figure maternelle un lien stable qui réponde à ses besoins. À partir de cette expérience positive, ou négative, l'enfant élaborera un modèle de ce que doivent être les relations sociales en général et les relations affectives en particulier. En 1963, la chercheuse Mary Ainsworth a mis au point une procédure expérimentale standardisée qu'elle a nommée la « situation étrange ». Un enfant, âgé de 12 à 18 mois, prenait place avec sa mère dans un local inconnu contenant des jouets. Puis la mère s'absentait plusieurs fois en l'espace de 20 minutes, et l'on observait les réactions de l'enfant à cette situation anxiogène pour lui. Cette procédure a permis de définir trois types de comportements. Le comportement A est dit anxieux-évitant et touche environ 20 % des cas. L'enfant partage alors peu ou pas avec la mère, tandis qu'il échange affectivement avec des étrangers et ne semble affecté ni par le départ du parent ni par son retour. Le comportement B est dit sécurisé et concerne environ 65 % des enfants. L'enfant a des échanges affectifs marqués avec sa mère, proteste à son départ, ressent du soulagement à son retour et cherche à se rapprocher d'elle. Le comportement C est dit anxieux-résistant (ou ambivalent) et s'observe chez 15 % des sujets. L'enfant interagit peu avec sa mère, il manifeste une détresse extrême quand elle sort, mais hésite entre rejet et désir de rapprochement quand elle revient ; il se montre également incapable de s'intéresser aux étrangers.

Ces travaux, approfondis par d'autres chercheurs, insistent sur l'importance pour l'enfant d'avoir développé avant l'âge de deux ans sa capacité d'attachement. Si, pendant cette période, il vit trop de situations de privation — séparation d'avec la mère, succession des figures maternelles, pauvreté de la qualité des soins, il risque de renoncer à trouver quelqu'un qui puisse répondre à ses besoins. Il deviendra peu disposé à aimer et à se laisser aimer, ce qui pourrait annoncer des comportements antisociaux ultérieurs.

L'intelligence interpersonnelle à l'âge préscolaire

Dans la première année de vie, votre enfant s'intéresse aux autres et au monde qui l'entoure. Vers 10 ou 11 mois commencent les premières interactions comme les échanges de « doudous » et les jeux de cache-cache, mais le tout-petit n'a pas encore conscience que l'autre est différent de lui. Il est totalement égocentrique. Entre 18 mois et 2 ans, c'est l'âge des jeux en parallèle. Les enfants ne jouent pas ensemble, mais les uns à côté des autres, chacun occupé à ses affaires. Cependant, ils s'observent et s'imitent volontiers. Vers deux ans et demi ou trois ans, quand le langage est mieux maîtrisé, ils multiplient les contacts et deviennent capables d'établir de véritables relations.

Au cours de ces étapes, les parents jouent un rôle toujours aussi fondamental pour l'enfant, mais, on le voit, de nouveaux acteurs entrent en scène : la famille éloignée, les amis des parents, les autres enfants... En tant que parent, vous pouvez alors favoriser le développement de relations sociales positives entre votre enfant et son entourage. Parlez avec lui. Répondez à toutes ses interrogations sur les liens qui unissent les uns et les autres : « Qui c'est, grand-maman, c'est la maman de maman ou de papa ? », « Est-ce que mon éducatrice Isabelle est aussi une maman ? ». Vous pouvez, à l'occasion, réaliser avec lui un petit arbre généalogique de la famille. Apprenez à votre enfant à communiquer ses besoins, verbalement ou non, mais toujours dans le respect de l'autre. Il faut lui apprendre que certains comportements, certains gestes, sont interdits, que la violence notamment n'est pas acceptable. Ne le forcez pas à jouer avec les autres s'il n'en a pas envie. Ne le grondez pas s'il refuse de prêter ses jouets. Pour un enfant de deux ans, prêter ne veut rien dire, il n'a pas la notion du provisoire. Le tout-petit aime aussi vous aider dans les tâches ménagères, comme dresser la table ou ranger le linge. Encouragez chaleureusement ces comportements. Discutez avec son éducatrice pour mettre au point des modes d'intervention cohérents en cas de conflits ou de comportements inadéquats.

L'intelligence interpersonnelle à l'école

Un enfant sécurisé à l'âge préscolaire possède déjà une bonne intelligence interpersonnelle : il est sociable, intéressé par ses pairs et engagé dans des interactions avec eux. C'est vers cinq ou six ans que la différenciation entre soi et les autres se consolide. L'égocentrisme propre à la petite enfance s'efface, et l'enfant devient capable d'empathie, c'est-à-dire capable de se mettre à la place des autres. Il acquiert aussi une certaine idée de la réciprocité : l'enfant comprend que l'amour n'est pas à sens unique et qu'il est capable de partager ou d'échanger avec ses parents.

Comment pouvez-vous aider votre enfant à réussir sa socialisation dans le cadre scolaire ? Vous devez continuer à lui offrir un environnement affectif sécurisant, fait d'amour, de confiance et de compréhension. Les relations familiales lui permettent de développer un sentiment d'appartenance, donc de bénéficier d'un environnement propice à l'apprentissage des habiletés sociales. Il est précieux également de poursuivre à la maison l'enseignement des valeurs inculquées à l'école : respect des autres, respect du processus démocratique, respect des règles, refus de la violence, importance du dialogue, etc.

Votre enfant doit pouvoir exercer son droit de parole dans la mesure de ses capacités. Les échanges avec un jeune doivent être fondés sur le respect des règles, des personnes, du matériel et de l'environnement immédiat. Une place doit être réservée aux discussions où l'on aborde des sujets particuliers comme les diverses nationalités, les croyances religieuses ou toute autre différence. Il est essentiel de favoriser la confiance et l'estime de soi, en encourageant l'enfant dans ses démarches, en soulignant ses efforts et ses progrès et en lui apprenant à reconnaître ses forces et ses faiblesses.

Les échanges familiaux doivent se faire dans un esprit démocratique. Votre enfant apprend à dialoguer et accepter les idées différentes tout en ayant la possibilité de jouer un rôle dans les décisions et dans l'analyse des situations. Il comprend ainsi qu'on lui accorde une place dans la démarche de résolution des problèmes.

Les comportements agressifs et violents sont devenus une préoccupation prioritaire du milieu scolaire, confronté aux problèmes de l'intimidation et du « taxage ». En tant que parents, vous ne devez pas tolérer ce type de comportement chez votre enfant. Vous devez l'aider à reconnaître ses sentiments, ses désirs et ses besoins, à les exprimer de manière non violente. Pour prévenir la violence des jeunes, il est nécessaire de s'interroger sur les causes de leur malaise (difficultés familiales, stress, problèmes d'apprentissage). Vous devez également faire preuve de vigilance si votre enfant modifie ses comportements, manifestant des émotions négatives comme la peur, la tristesse, le rejet, la honte, la colère ou la culpabilité. Le sport, la musique, la peinture peuvent atténuer ces comportements agressifs. Des psychologues et des pédopsychiatres peuvent aussi vous aider.

Votre enfant peut avoir du mal à se faire des amis. Or, dès l'école primaire, le jeune enfant commence à s'investir dans des relations amicales et cherche à intégrer un groupe ou un réseau d'amis. L'enfant qui entretient des relations harmonieuses maintient ou augmente sa popularité auprès de ses pairs. Les relations interpersonnelles positives sont importantes pour le développement de l'estime de soi. Proposez-lui d'inviter des camarades de classe à la maison, qui représente un milieu plus sécurisant pour les enfants. Invitez vous-même des amis pour donner l'exemple. Discutez avec les autres parents. Inscrivez votre enfant à des activités parascolaires dans lesquelles il se sent à l'aise, que ce soit le soccer, la chorale ou les échecs. Les enfants se comportent différemment hors du cadre scolaire, et de nouvelles amitiés peuvent ainsi naître.

Liste d'activités pour stimuler l'intelligence interpersonnelle

- Pratiquer un sport collectif.
- Jouer à des jeux de société.
- Jouer à des jeux coopératifs.
- Faire du bénévolat dans des associations.
- S'impliquer dans les projets de son école : voyage d'études, achat de livres pour la bibliothèque...
- S'inscrire à un club de jeunes.
- Faire des activités parascolaires.
- Inviter ses amis à la maison.
- Mettre l'accent sur les activités de groupe : chorale, réalisation d'une grande fresque collective, bricolage à plusieurs...
- Favoriser les contacts avec des enfants un peu plus âgés qui pourront servir de modèle.

Aider votre enfant dans ses apprentissages

Si votre enfant a une forte intelligence interpersonnelle, il a besoin de communiquer avec les autres pour apprendre.

■ Ne l'isolez pas dans sa chambre pour faire ses devoirs. Proposez-lui plutôt de s'installer dans un coin de la cuisine ou du salon, où il restera à portée de voix.

■ Demandez-lui de vous expliquer ce qu'il est en train d'apprendre.

■ S'il « sèche » sur un problème, ne le laissez pas seul face à sa feuille blanche. Proposez-lui de l'aider ou d'appeler un de ses amis qui pourrait l'aider.

■ Si possible, invitez l'un de ses amis à venir faire ses devoirs avec lui.

■ Cherchez s'il y a, parmi vos connaissances, un enfant plus âgé qui serait d'accord pour faire du tutorat.

■ Encouragez-le à former une équipe pour résoudre ou discuter de différents problèmes : problèmes de mathématiques, expériences scientifiques, problèmes de société, etc.

Métiers et professions

Vendeur, publicitaire, agent touristique, gérant d'hôtel et de restaurant, enseignant, éducateur, diplomate, politicien, conseiller spirituel, psychologue, psychoéducateur, travailleur social et toutes les professions cliniques : médecin, infirmier, orthophoniste, etc.

L'intelligence intrapersonnelle

De pensée et symbole

Les découvertes archéologiques ont fait connaître la vie sociale et religieuse des hommes préhistoriques. Il y a 100 000 ans déjà, les hommes du Neandertal organisaient des rites funéraires et religieux. La spiritualité semble être unique à l'homme puisqu'elle exige le développement de la mémoire à long terme autant que la conscience de soi. Les religions et les croyances se sont répandues dans toutes les cultures. Les tribus avaient des croyances animistes où la nature et les animaux tenaient un rôle symbolique, tandis que les grandes religions se sont développées avec l'immigration de populations et la colonisation. Avec l'émergence d'une société moderne fondée sur les droits de l'homme et la liberté de pensée, l'intelligence intrapersonnelle permet d'aider les individus à faire des choix éthiques et de s'interroger sur leurs valeurs morales.

L'intelligence intrapersonnelle est la faculté de se former une représentation de soi précise et fidèle et de l'utiliser efficacement dans la vie. Elle est très proche de l'intelligence interpersonnelle en ce sens qu'il s'agit, là aussi, de comprendre des émotions, des états d'esprit et de les influencer. Mais, alors que dans l'intelligence interpersonnelle cette habileté est dirigée vers les autres, dans l'intelligence intrapersonnelle, elle est ici dirigée vers soi-même. Cette forme d'intelligence se développe tout au long de la vie.

Les enfants chez qui l'intelligence intrapersonnelle prédomine sont souvent calmes et d'une nature contemplative. Ils sont volontaires, indépendants et n'hésitent pas à défendre leur point de vue, souvent original. Ils connaissent leurs forces et leurs faiblesses, se fixent des buts raisonnables qu'ils sont capables d'atteindre. Ils aiment être seuls pour pouvoir réfléchir. Ce sont des philosophes qui cherchent à se connaître eux-mêmes — grande quête existentielle, mais qui s'interrogent aussi bien sur la guerre, la mort ou la justice. Ils aiment discuter et argumenter pour étayer leurs idées et leurs opinions.

À quoi sert l'intelligence intrapersonnelle ?

Elle permet à l'enfant de se créer un concept de soi sain, c'est-à-dire une représentation réaliste de lui-même, tant du point de vue émotionnel (il connaît ses émotions et leurs effets) que cognitif (il est conscient de ses forces et de ses limites). Au fur et à mesure que votre enfant grandit, son concept de soi a tendance à devenir à la fois moins positif et plus réaliste. C'est vers l'âge de huit ans qu'il commencera à se comparer aux autres, ce qui influencera considérablement sa perception de lui-même ainsi que son comportement. À partir du moment où un enfant a une idée réaliste de ses capacités, il a plus de chances de réussir. Il saura s'appuyer sur ses forces et tenir compte de ses faiblesses dans la poursuite de ses objectifs. Par exemple, un enfant qui s'exprime bien à l'oral cherchera à faire le maximum de présentations devant la classe. Il pourra aussi réviser ses exigences à la baisse. S'amorcera alors une sorte de cercle vertueux : l'enfant qui réussit prend confiance et améliore son estime de soi, ce qui lui permet de tenter de nouvelles expériences, plus difficiles.

L'intelligence intrapersonnelle permet également à l'enfant de se questionner et d'exprimer sa pensée à partir d'un raisonnement logique et de ses valeurs morales. Elle lui ouvre la dimension spirituelle où il pourra donner un sens à ses actions et ses expériences. Pour ce faire, il devra utiliser un langage cohérent, et cette nécessité développera son habileté langagière. Le jeune acquerra alors une autonomie intellectuelle, pensera par lui-même et construira son esprit critique. Ces éléments l'aideront à résister aux pressions de ses proches et aux tentatives de manipulation de toutes sortes, qu'elles soient politiques, médiatiques ou spirituelles. Et, puisque nous sommes assaillis par quantité d'informations contradictoires sur d'innombrables sujets (le réchauffement de la planète, les OGM, l'euthanasie, le terrorisme international, etc.), cette autonomie intellectuelle lui permettra de faire le tri et de se forger sa propre opinion.

Comment stimuler l'intelligence intrapersonnelle ?

Pour stimuler l'intelligence intrapersonnelle de votre enfant, il est important de développer son sentiment d'identité. La première composante de cette identité est familiale : le jeune enfant a besoin de savoir qu'il est accepté de ses frères et sœurs, de ses parents, et qu'il fait partie d'une famille. Votre enfant doit avoir le sentiment qu'il participe à la vie familiale et qu'il est solidaire des autres membres de sa famille. Privilégiez les activités en famille, les petits rituels familiaux, et associez très tôt l'enfant aux tâches domestiques. Vous pouvez aussi lui demander de dessiner le portrait de tous les membres de sa famille et de parler d'eux. Discutez avec lui des différents types de famille partout dans le monde. Parlez des changements qu'entraînent une naissance, un décès, un déménagement ou une séparation. Parallèlement à la mise en relief de cette identité familiale, vous devez insister sur l'individualité de l'enfant. Il doit prendre conscience que chacun est unique. Proposez-lui, par exemple, de dresser la liste des qualités, des améliorations qu'il souhaiterait et des centres d'intérêts de personnes qu'il connaît bien. Puis, aidez-le à faire son autoportrait. Prenez le temps de l'observer dans tous les domaines possibles : physique (Est-il souple ? Fort ? Résistant ?), intellectuel (A-t-il une bonne mémoire ? Est-il curieux ?) et social (A-t-il beaucoup d'amis ? Est-il fidèle en amitié ?). Débattez ensuite avec lui de ses qualités et de ses améliorations qu'il a réalisées. Félicitez-le pour tout ce qu'il réussit, mais ne mentez pas. Ne vous extasiez pas sur tout ce qu'il fait, ne prétendez pas qu'il est parfait, sinon il risquera de tomber de haut, plus tard, quand les autres le ramèneront brutalement à la réalité. Fixez-lui des objectifs raisonnables et encouragez-le à élaborer un plan d'action pour y parvenir. Confiez-lui des responsabilités. Apprenez-lui aussi à ne pas avoir peur de faire des erreurs. C'est en faisant des erreurs qu'on apprend et qu'on s'améliore. L'erreur n'est pas synonyme d'échec.

Il est fondamental également de créer un environnement sécurisant et respectueux autour de l'enfant. Votre enfant ne pourra développer son intelligence intrapersonnelle et un concept de soi positif que s'il est sûr que ce qu'il pense, ressent et réalise est important. Aidez-le à comprendre ses émotions par des remarques comme : « Tu es gêné quand les gens veulent t'embrasser », ou bien « Tu as de la peine parce que ton amie ne veut pas jouer avec toi ». Vous devez accepter ce que votre enfant ressent, et ce, même si ses réactions sont différentes des vôtres. Montrez-lui, en l'écoutant, que vous respectez ses sentiments, ses croyances, ses actions, bref, son individualité. Laissez-le exprimer ses sentiments. Encouragez-le à tenir un journal personnel. Utilisez des formulations comme « Je trouve que » ou « Je pense que » plutôt que « Tu es », lorsque vous lui expliquez ce qu'il doit améliorer. Par exemple, « Je pense qu'il serait mieux que tu fasses plus attention à tes affaires » est préférable à « Tu brises toujours tout ». Une fois que l'enfant a découvert la valeur de ses forces personnelles, précisez-lui que se sentir unique ne signifie pas qu'on est meilleur que les autres. Il s'agit simplement de reconnaître sa propre individualité d'une manière positive.

La philosophie pour les enfants

À la fin des années 1960, deux philosophes américains, Matthew Lipman et Ann Margaret Sharp, ont mis au point une pratique éducative novatrice qui proposait d'initier les enfants à la philosophie dès l'école primaire. Ces deux chercheurs sont partis du constat que chaque enfant s'étonne devant le monde et est confronté aux grands concepts philosophiques. Par exemple : « Maman me dit que je dois dire la vérité, mais est-ce que les autres disent toujours la vérité ? », ou encore : « Papa m'a dit de rendre le livre à mon petit frère, mais moi, je pense que ce n'est pas juste ! ». Les thèmes peuvent varier, mais l'interrogation philosophique n'a pas d'âge. L'enfant et l'adolescent sont intéressés par des sujets comme la vie, l'amour, l'amitié, la justice, le bonheur, la nature, la publicité, les orientations sexuelles, la mort, etc. Matthew Lipman et Ann Margaret Sharp affirment que non seulement les enfants sont capables de faire de la philosophie, mais qu'ils en ont besoin et l'apprécient pour les mêmes raisons que les adultes. Les deux chercheurs ont élaboré une démarche en trois étapes qui s'appuie sur du matériel pédagogique spécifique : d'une part, des romans philosophiques mettant en scène des enfants qui cherchent et se posent des questions, d'autre part, des manuels pour les enseignants. Dans un premier temps, les enfants lisent à haute voix, à tour de rôle, des passages du roman étudié. Puis, l'enseignant-animateur leur demande quelles sont les idées qu'ils ont trouvées intéressantes. Après cette collecte d'idées, les enfants discutent des thèmes qu'ils ont choisis. Ce dialogue crée une dynamique permettant la naissance de ce que Lipman appelle une « communauté de recherche ». Les enfants apprennent ainsi à formuler des hypothèses, à définir des termes, à donner des exemples et des contre-exemples, à s'interroger sur les convictions des autres membres du groupe. Le but de ces cours n'est pas de trouver des réponses aux questions ni d'arriver à un consensus entre tous les membres de la communauté de recherche, mais bien plutôt inciter les enfants à penser par et pour eux-mêmes avec rigueur, cohérence et originalité. Une telle approche favorise donc grandement le développement de l'intelligence intrapersonnelle.

La philosophie pour enfants est maintenant enseignée dans une soixantaine de pays, grâce notamment au travail de l'ICPIC (International Council for Philosophical Inquiry with Children), fondé en 1985 et réunissant la plupart des centres de formation et de recherche dans le monde entier. L'UNESCO et l'UNICEF soutiennent tous deux ce projet, où ils voient un moyen d'aider les enfants à prendre en mains leur destin et à résister aux tentatives d'embrigadement de la part des adultes (cf. enfants-soldats, enfants forcés à travailler ou vendus comme esclaves, etc.). Au Canada, cet enseignement de la philosophie pour enfants a été introduit sous une forme expérimentale en 1982. Au Québec, il est laissé à la discrétion des commissions scolaires. En 2004, plusieurs d'entre elles ont accepté d'entreprendre, ou de poursuivre, l'expérimentation.

En tant que parent, vous pouvez tenir le rôle d'animateur des discussions philosophiques et constituer une communauté de recherche familiale avec votre enfant ou votre adolescent. Vous pouvez utiliser comme point de départ l'un des romans philosophiques de Lipman ou de Sharp (plusieurs sont traduits en français), ou encore des magazines ou des romans pour enfants. L'enfant lit sur un sujet, puis la discussion peut s'engager. Votre rôle est alors extrêmement important : vous devez permettre à votre enfant d'exprimer ses idées, mais aussi le pousser à aller plus loin dans son raisonnement et à en découvrir toutes les implications. Il ne s'agit pas simplement d'une discussion à bâtons rompus. À la fin de la session, l'enfant doit avoir enrichi son opinion première. Il vous faut donc le guider, sans l'influencer, sans l'informer, par exemple, des réponses préparées par les philosophes. Pour cela, privilégiez les questions ouvertes, proposez un autre point de vue, demandez que soit clarifié tel ou tel point, interrogez votre enfant sur les raisons qui le conduisent à affirmer telle chose et n'hésitez pas à corriger vos propres opinions en fonction de ses arguments. La méthode et les sujets abordés varieront, bien sûr, selon que votre enfant est en première année du primaire ou au secondaire. Avec un enfant de six ans, par exemple, mieux vaut procéder par ressemblances et différences. À cet âge, l'enfant a encore une pensée « magique » et fait difficilement des liens théoriques entre des événements distincts. Le jeune adolescent, lui, est capable d'utiliser sa logique d'une manière plus efficace, puisqu'il a développé sa pensée abstraite. Si vous pensez que vous avez besoin d'aide avant d'animer votre propre communauté de recherche, vous pouvez soit vous procurer un des manuels de l'enseignant, soit suivre une formation (l'Université Laval, sous l'égide du chercheur Michel Sasseville, offre différents ateliers et séminaires et même des cours en ligne).

Liste d'activités pour stimuler l'intelligence intrapersonnelle

■ Tenir un journal personnel.
■ Pratiquer un sport individuel.
■ Faire le portrait de différents membres de la famille ou d'amis.
■ Faire son autoportrait par différents procédés : l'écrit, le collage, la peinture, etc.

- S'initier à la philosophie.
- Se lancer des défis personnels.
- Choisir un comportement et l'appliquer toute une journée pour voir ce qui se passe : « Aujourd'hui, je vais être gentil ».
- Pratiquer des activités de relaxation qui permettent d'entrer « en soi ».
- Faire des tests et remplir des questionnaires sur la personnalité.
- S'adonner à des jeux créatifs.

Aider votre enfant dans ses apprentissages

Un enfant avec une forte intelligence intrapersonnelle aime réfléchir dans le calme.

- Pour les devoirs à la maison, installez-le dans un endroit tranquille où il ne sera pas dérangé.
- Laissez-lui tout le temps dont il a besoin : ne lui demandez pas sans arrêt s'il a bientôt fini.
- Encouragez-le à établir un plan de progression globale. Par exemple : « Ce mois-ci, je consacre surtout mes efforts aux mathématiques pour rattraper mon retard et je travaille moins l'histoire où j'ai toujours été bon élève ».
- Proposez-lui d'aborder les grandes disciplines : l'histoire, les mathématiques, la littérature, etc. par l'intermédiaire de biographies, réelles ou fictives.
- Suggérez-lui d'avoir toujours avec lui un carnet de notes où il pourra consigner ses réflexions et ses questions à approfondir plus tard.
- Favorisez les recherches personnelles.

Métiers et professions

Écrivain, psychiatre, psychanalyste, travailleur autonome, philosophe, entrepreneur, professeur de yoga ou d'autres activités utilisant la méditation, chercheur, thérapeute.

Conclusion

Vous avez parcouru ce livre, et j'imagine que vous demeurez avec plusieurs réflexions et interrogations encore en suspens. Il est évident qu'un tel livre ne pouvait répondre à toutes vos questions. Mon travail a eu, entre autres buts, la transmission des valeurs à nos jeunes, et j'ai consacré quelques années à rédiger cet ouvrage en me disant qu'il vous serait utile ainsi qu'à vos enfants. J'ai essayé de réfléchir d'abord comme une mère, afin de vous présenter des exemples concrets pouvant être transposés dans votre vie quotidienne.

Les intelligences multiples permettent d'apprendre le caractère universel des valeurs comme la dignité et le respect pour tous. Des activités ludiques sont proposées dans cette optique, telles que des activités d'expression, des chansons ou des danses. Ce livre vous suggère de vous familiariser avec différentes valeurs au moyen de définitions, de discussions, d'exemples et d'écrits.

La connaissance des intelligences multiples peut contribuer à une meilleure compréhension des valeurs transmises au cours de la petite enfance et de l'enfance. La lecture de ces pages évoque inévitablement l'importance des valeurs intérieures comme le respect, l'amour, l'amitié et la paix.

La théorie des intelligences multiples est complexe. Howard Gardner, chercheur et psychologue, se questionne lui aussi sur le développement des intelligences et la spiritualité. Il est d'ailleurs primordial de souligner sa dernière découverte : *l'intelligence existentielle*. Elle n'a pas encore été reconnue officiellement. Elle a trait à la dimension spirituelle de l'humain. Toutefois, il semble difficile de prouver

Chapitre 4 : L'intelligence spatiale

Sur l'évolution graphique des enfants

GREIG, Philippe, *L'Enfant et son dessin,* éditions Érès, Ramonville, 2000.

JOYAL, Bruno, et autres. *L'Évolution graphique : Du premier trait gribouillé à l'œuvre plus complexe,* Livre + CD, Presse Universitaire du Québec, Québec, 2003.

LUQUET, Georges-Henri. *Le Dessin enfantin,* Delachaux et Niestle, Paris, 1991.

MERCIER-DUFOUR, Isabelle. *Évolution graphique des enfants de 2 à 14 ans,* livre et VHS, Association québécoise des éducatrices et des éducateurs spécialisés en arts plastiques, Saint-Donat, 2002.

WALLON, Philippe. *Le Dessin d'enfant,* coll. Que sais-je?, Presses universitaires de France, Paris, 2003.

Sur l'art-thérapie

KLEIN, Jean-Pierre. *L'Art-thérapie,* coll. Que sais-je, Presses universitaires de France, Paris, 2006.

Chapitre 5 : L'intelligence kinesthésique

Pour les enfants

DIDIER, Jean, et ZAD. *Parcours santé,* Casterman, Paris, 2001.

PAROISSIEN, Emmanuelle, et autres. *Les sports,* coll. Imagerie, Fleurus, Paris, 2004.

SAINT MARS, Dominique de, et Serge BLOCH. *Max a la passion du foot,* Calligram, Fribourg, 2004.

Pour les parents

BINDER, Michel. *Quel sport pour quel enfant?,* Marabout, Paris, 2005.

DOLTO, Françoise. *L'image inconsciente du corps,* Éditions du Seuil, Paris, 1984.

DURAND, Marc. *L'enfant et le sport,* Presses Universitaires de France, Paris, 2006

RAMIREZ, Bruno. *Activités physiques pour les 3-8 ans: 150 exercices et jeux,* Amphora, Paris, 2003.

TURNER, Roma, et Susie NANAYAKKARA. *L'art du massage pour bébé,* Broquet, Saint-Constant, 2004.

Chapitre 6: L'intelligence naturaliste

Sites Internet

http://www.lesdebrouillards.qc.ca
Un site très riche en informations.

http://www.eclairsdesciences.qc.ca
Une liste d'activités scientifiques destinées aux enseignants du primaire, mais accessibles aussi aux parents.

http://www.scientic.ca
Le webzine des jeunes scientifiques. On y trouve la description de plus de 200 expérinces réalisés par des enseignants avec leur classe.

http://www.lescale.net
Site éducatif qui s'adresse directement aux enfants de 4 à 10 ans et propose plein d'activités interactives.

http://www.dispapa.com
Un papa a eu l'idée de créer un site pour aider les parents à répondre à toutes les questions de leurs petits : "Dis, papa, c'est quoi un nuage?"

Livres

YANN, Arthus-Bertrand, Hubert COMTE, et David GIRAUDON. *La Terre racontée aux enfants*, Éditions la Martinière, Paris, 2001.

BOUIN, Anne. *Mon premier Larousse de la nature*, Larousse, Paris, 2003.

CHABOT, Claire. *Savate le Savant, Les animaux du Canada*, Éditions Enfants Québec, Saint-Lambert, 2006.

Collectif. *40 expériences et défis scientifiques pour les Petits Débrouillards*, Albin Michel Jeunesse, Paris, 2004.

FRAUENFELDER, Mark. *Labo Dingo, de véritables expériences scientifiques dingo-magiques!*, Éditions du Seuil Chronicle, 2003.

Chapitre 7 : L'intelligence musicale

BERNSTEIN, Léonard. *La musique expliquée aux enfants,* coll. Beaux Livres, Hachette Jeunesse, Paris, 1995.

LECHEVALIER, Bernard. *Le Cerveau de Mozart,* Odile Jacob, Paris, 2006.

MALENFANT, Nicole. *L'Éveil du bébé aux sons et à la musique,* Livre et CD, Les Presses de l'Université de Laval, Québec, 2004.

VAILLANCOURT, Guylaine. *Musique, musicothérapie et développement de l'enfant,* Éditions CHU Sainte-Justine, Montréal, 2005.

Les musiques pour enfants

Collectif. *Mon Imagier des rondes,* Gallimard Jeunesse, Paris, 2003. Livre avec CD.

Collectif. *L'Afrique noire: Comptines, danses et berceuses,* CD audio, Abeille Musique, 2005.

Collectif. Pour les enfants - Pierre et le loup/Le Carnaval des animaux/L'Histoire de Babar/L'Apprenti sorcier, CD audio, EMI, 2002.

Collectif. *Des instruments de musique racontés aux enfants: Petite musique de pluie - Le Colporteur,* CD audio, Harmonic, 2003.

Jeux d'éveil musical

La société montréalaise Les Jouets Boom proposent plusieurs jeux intéressants, à partir de 2 ans, pour initier les enfants à la musique et aux instruments.

Chapitre 8 : L'intelligence interpersonnelle

Pour les enfants

DOLTO, Catherine, Colline FAURE-POIRÉE, et Frédérick MANSOT. *Les amis,* coll. Mine de rien, Gallimard Jeunesse, Paris, 2005.

BELLIER, Jean-Marc et Nancy BELVAUX. *Les amis : Ca sert à quoi ?*, Fleurus, Paris, 2004.

MORGENSTERN, Susie. *Les Deux Moitiés de l'amitié*, L'école des loisirs, Paris, 2003.

RIVAIS, Yak. *Petit grounch et ses amis*, L'école des loisirs, Paris, 1999.

Pour les parents

BEAUMATIN, Ania, et Colette LATERRASSE. *L'enfant parmi les autres : Se construire dans le lien social*, Milan, Toulouse, 2004.

DOLTO, Françoise. *Les étapes majeures de l'enfance*, Gallimard, Paris, 1994.

FORTIN, Christine. *Je coopère, je m'amuse : 100 jeux coopératifs à découvrir*, Chenelière/McGraw Hill, Paris, 1999.

GREENSPAN, Stanley et Jacqueline SALMON. *Enfant difficile, enfant prometteur*, Lattès, Paris, 1996.

PIERREHUMBERT, Blaise. *Le premier lien : Théorie de l'attachement*, Odile Jacob, Paris, 2003.

Chapitre 9 : L'intelligence intrapersonnelle

Bibliographie sur la philosophie pour les enfants
Pour les enfants à partir de 7 ans. Les ouvrages de la collection Philozenfants chez Nathan, notamment :

BRENIFIER, Oscar, et Frédéric RIBERA. *La Liberté, c'est quoi ?* Nathan, Paris, 2005.

BRENIFIER, Oscar, et Serge BLOCH. *Les sentiments, c'est quoi?*, Nathan, Paris, 2004.

BRENIFIER, Oscar, et Aurélien DÉBAT. *Moi, c'est quoi?*, Nathan, Paris, 2004.

Pour les enfants du primaire. Les romans philosophiques, et les manuels d'accompagnements, de la collection La Traversée, aux Presses de l'Université de Laval, notamment:

SHARP, Ann Margaret. *Nakeesha et Jesse*, PUL, Québec, 2005. Pour la maternelle.

LAURENDEAU, Pierre. *Grégoire et Béatrice*, PUL, Québec, 2005. Pour les premières années du primaire.

LIPMAN, Matthew. *La découverte d'Harry Stottlemeier*, Vrin, Paris, 2002. Pour les 11-13 ans

GAARDER, Jostein. *Le monde de Sophie*, Éditions du Seuil, Paris, 1995.

Pour les parents

DANIEL, Marie-France. *La philosophie et les enfants*, Logiques, Montréal, 1992.

LIPMAN, Matthew. *À l'école de la pensée*, De Boeck Université, Bruxelles, 1995.

SASSEVILLE, Michel. *La pratique de la philosophie avec les enfants*, PUL, Paris, 2000.

Notice biographique

Sonia Fournier détient un doctorat en éducation et est professeure à l'Université du Québec à Rimouski. Elle œuvre principalement dans le domaine de l'éducation, et s'intéresse particulièrement à la création d'images, aux troubles du comportement chez les enfants et à l'éducation à la citoyenneté et à la paix. Elle est codirectrice du Laboratoire d'étude et d'action pour le développement de la recherche en éducation (LÉADRE). Elle dirige une équipe de recherche qui étudie la portée pédagogique des images à l'école sur la compréhension et la prévention des conflits.

Sonia Fournier
Ph. D. (éducation)

Professeure et artiste

Codirectrice du Laboratoire d'étude et d'action pour le développement de la recherche en éducation (LEADRE)
Codirectrice du module préscolaire-primaire
Université du Québec à Rimouski (UQAR)
300, allée des Ursulines
Rimouski (Québec)
G5L 3A1 Canada
Courriel : sonia_fournier@uqar.qc.ca
Site Internet : http://www.soniafournier.com

MEMBRE DU GROUPE SCABRINI

Québec, Canada
2007